선생님과 함께하는

하루 문학 여행

선생님과 함께하는
하루 문학 여행
서울·경기·인천
체험 학습 코스 20
국어 선생님 97명 지음
창비

차례

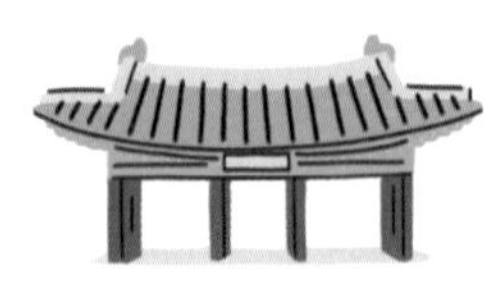

머리말

창밖으로 봄비가 방울방울 맺히는 아침, 교실에서 아이들이 조용히 책 읽는 모습이 참 평화롭습니다. 국어 시간이 시작되면 아이들은 정신없이 뛰어와 인사하면서 재잘재잘 떠들다가도 "자, 이제 같이 책 읽자." 하는 소리에 주섬주섬 책을 꺼내어 읽기 시작합니다. 수업 도입부 10분은 짧은 시간이지만 매번 책에 빠져서 읽는 중학교 2학년 아이들의 모습은 보면 볼수록 신기합니다. 지금까지 책 한 권을 꾸준히 읽어 본 적이 한 번도 없었다면서 은근히 뿌듯한 표정을 짓는 개구쟁이 남학생 얼굴이 떠오릅니다. 교사가 학생들에게 좋은 책을 소개하고 수업 시간마다 꾸준히 같이 읽을 수 있는 '한 학기 한 권 읽기' 수업이 힘을 발휘하는 순간입니다.

아이들은 한 달 동안 틈틈이 책 한 권을 다 읽은 뒤 서평을 쓰고, 질문을 만들어서 모둠 친구들과 대화를 나누며 새로운 세계를 경험합니다. 아직 독서 활동이 익숙하지 않아서 헤맬 때도 있지만 아이들 나름대로 잘하려 애쓴다고 믿으면서 기다려 봅니다. 이렇게 정성 들여 읽은 책을 쓴 작가가 활동한 공간에 직접 가 본다면 얼마나 설레고 벅차오를까요? 아이들과 함께하는 이런 가슴 벅찬 순간이 좋아서 작가와의 만남 행사를 신나게 준비하며 가슴이 두근거리던 때도 있었습니다.

'한 학기 한 권 읽기' 수업이 익숙해지면 아이들의 시야를 넓힐 수 있는 다양한 활동을 시도해 봅니다. 이때 책과 관련된 공간으로 떠나는 체험 학습을 기획해 보는 건 어떨까요? 작가가 직접 거닐던 거리를 걸어 보거나 작품을 구상하고 글을 쓰던 공간에서 작가는 무엇을 치열하게 고민했을까 생각해 보고, 작품 속 주인공이 되어 배경이 되는 실제 공간을 찾아보면서 독서의 경험은 점점 확장됩니다. 지난 몇 년간 코로나19 팬데믹을 경험한 아이들에게 이런 체험 활동은 더욱 생소하고 교사도 어디서부터 어떻게 시작해야 할지 막막할 수 있습니다. 이 책은 이처럼 팬데믹 이후 아이들과 새롭게 문학 관련 체험 학습을 기획하려는 학교 현장의 요구에 발맞추어 만들어졌습니다.

이 책은 교과서 수록 작품이나 '한 학기 한 권 읽기' 추천 도서와 관련된 수도권 답사 코스 스무 곳을 선정하여 현직 중고등학교 국어 교사들이 직접 답사를 한 뒤에 아이들과 함께 하루 동안 다닐 수 있는 장소들을 선정하였습니다. 또한 다양한 매체와 가깝게 지내는 아이들을 고려하여 책과 관련된 드라마, 영화, 연극 등 다양한 콘텐츠를 소개했습니다. 이 책은 문학 관련 체험 학습을 고민하는 선생님들께 실질적 도움이 될 것입니다.

바쁜 하루 중 책 읽는 아이들의 고요한 얼굴을 바라보며 큰 위로를 받을 때가 있습니다. 아이들의 우주가 문학 답사로 다양한 책을 만나 더욱 넓어지기를 바랍니다.

2024년 5월 초록빛이 가득한 봄날

지은이 일동

자유와 사랑을 노래한 시인

고은영(공릉중학교)·김수연(노곡중학교)·서지연(구암중학교)
신동진(창북중학교)·양우녕(창북중학교)

시인 김수영과 함께 도봉을 걷다

🚶 김수영 시비 → 김수영 문학관 → 원당샘 공원 → 원당 마을 한옥 도서관 → 연산군 묘

김수영은 6·25 전쟁, 4·19 혁명, 5·16 군사 정변에 이르기까지 한국의 아픈 현대사를 온몸으로 통과하며 자유와 혁명을 꿈꾸었다. 치열한 자기반성과 정직한 양심으로 쓰인 그의 시들은 시대가 바뀌었어도 여전히 생생한 젊음이다. 시인이 생전에 시작 활동을 하던 도봉구에는 그의 본가와 묘, 시비가 있다. 김수영 문학관을 중심으로 김수영의 흔적을 따라 도봉구 일대를 걸으면, 그가 "무엇을 보고 / 노래"했는지 알 수 있을까? 천천히 걸음을 옮겨 보았다.

#김수영 #풀 #6·25 전쟁 #군사 정권 #저항 시인

우리는 '김수영의 삶과 시에 대한 이해'를 주제로 잡고, 김수영 문학관을 중심으로 그의 발자취를 따라가는 답사 계획을 세웠다. 답사 전에 각자 김수영 시집에서 좋아하는 시를 5편씩 골라 감상과 의견을 나누는 시 세미나를 진행했다.

국어 수업에서도 자주 다루어지는 「풀」, 「눈」, 「폭포」, 「푸른 하늘을」, 「파밭 가에서」, 「어느 날 고궁을 나오면서」 등을 나누었는데, 가장 많은 이가 좋은 시로 꼽은 작품은 「봄밤」이었다.

'성과'와 '속도'를 강요하는 사회에서 강박적으로 분투하는 우리이기에 시인의 담담하면서도 단호한 권고에 마음이 이끌린 걸까. 내가 처한 힘든 상황과 애끓던 마음을 다행히도 화자에게 들켜, 바라던 위로를 받게 된 것만 같다. 이 시는 무언가 성취하고자 애태웠지만 제자리에 머물거나 실패한 사람들을 다정히 안아준다. 김수영의 시에는 이런 생각지 못한 다독임이 있다.

김수영의 시를 몇 편만 읽어서는 자칫 그의 시가 '비판, 저항, 혁명'으로만 구성되어 있다고 오해할 염려가 있다. 하지만 그가 '자유'와 함께 천착한 가치는 '사랑'이었다. "낡아도 좋은 것은 사랑뿐이냐(「나의 가족」 중)"라고 자문하고, "욕망이여 입을 열어라 그 속에서 사랑을 발견하겠다(「사랑의 변주곡」 중)"라고 선언했던 김수영의 시 쓰기는 사랑의 작업이었다. 우리는 김수영의 글을 읽으며 그를 더욱 사랑하게 되었다.

문인들의 존경과 사랑으로 그를 기리나

사랑하는 시인의 시비(詩碑)에 찾아가는 것은 마치 그 시인을 만나러 가는 듯한 기분을 느끼게 해 준다. 하지만 학생들에게는 시비가 그저 두껍고 단단한 돌에 불과할 수 있다. 그렇다면 시비가 그곳에 세워지기까지 무엇이 필요했을지 질문을 던져 보면 어떨까.

한 시인이 자신의 시 세계를 이룩하기 위해 들인 노력과 시간, 독자들의 가슴에 시가 남기까지의 과정과 세월, 생을 마감한 시인을 추모하기 위해 모인 정성 등을 떠올린 후에는 시비가 그저 돌덩어리로 여겨지지는 않을 것이다.

김수영 시비는 북한산 국립 공원 도봉산 구역 내 도봉서원 터 아래에 있다. 지하철 1, 7호선 도봉산역에서부터는 도보로 35분 걸리고, 버스를 타고 도봉고등학교 근처 '도봉산 입구' 정류장에서 내리면 도보로 25분 걸린다. 등산로 입구에서부터 완만한 경사 길을 20분 정도 오르다 보면 '북한산 찬가비'가 나온다. 거기서 10미터 정도 더 올라가면 '서울미래유산' 표지석이 있고 그 뒤로 가서야 비로소 네모난 비석, 김수영 시비가 보인다.

시비 앞면 중앙에는 「풀」의 일부가 김수영의 육필로 새겨져 있고, 오른편에는 김수영의 초상이 청동으로 조각되어 있다. 시비 뒷면에는 "김수영의 문학적 업적을 기념하기 위하여 전체 문인들이 힘을 모아 시비를 세운다."라는 내용이 당대의 명필인 배길기의 필체로 새겨져 있다.

김수영은 안타까운 사고로 생을 마감했다. 서울 마포구 구수동 집 근처를 지나다 인도로 달려든 버스에 치인 것이다. 생전에 '죽음'에 대해 많이 언급했던 김수영. "빨리 죽는 게 좋은데, 이렇게 살고 있다.(산문 「반시론」 중)"라고까지 썼던 김수영 본인도 예상치 못했을 사고였다. 마지막 작품이 된 「풀」을 남기고(1968. 5. 29.) 보름 정도 지난 시점이었다.

김수영 시비는 김수영 사망 1주기를 맞아 현대문학사가 앞장서고 선후배 문인들과 지인들이 뜻을 모아 세운 것이다. 김수영

김수영 시비에는 김수영의 유골함이 묻혀 있어 시비는 그의 무덤과 다름없다. 시비 전면에는 대표작 「풀」과 김수영의 초상이 새겨져 있다.

을 향한 당대 문인들의 존경과 사랑, 추모의 마음을 짐작할 수 있다. 시비 아래에는 김수영의 유골함이 묻혀 있다고 하니 김수영 시비는 그의 무덤과 다름없다. 우리가 방문했을 때 시비 앞에는 꽃다발 하나가 놓여 있었다. 우리 외에도 누군가가 김수영을 기억하고 여기에 머물다 갔다고 생각하니 그 마음이 괜히 고맙고 반가웠다.

시비 답사를 마친 후 '도봉산 입구' 버스 정류장에서 버스를 타고 김수영 본가 터로 출발했다. '디지털 도봉 문화 대전' 사이트에 검색하면 본가 터의 주소(도봉구 시루봉로23나길 36-11)와 정보를 찾을 수 있다. 20분 정도 이동하여 '오봉초등학교' 버스 정류장에서 내리니 작은 슈퍼가 있는 정겨운 동네가 나왔다.

'개발 제한 구역' 표지판을 지나 흙길을 5분 정도 걸어가니 철강 기업을 가리고 있는 철문이 보였다. 철문 왼쪽에 '김수영 본가 터'라는 표지석이 있고, 그 위에 "이곳은 1998년까지 시인 김수영의 본가였으며 도봉산으로 옮기기 전까지 그의 시비와 묘소가 있던 곳이다."라는 안내문이 붙어 있었다.

하지만 이곳에 있다던 김수영 집필실의 흔적은 찾을 수 없어 허탈했다. 본가 터는 답사 시간이 넉넉하거나 김수영에 대한 학생들의 관심이 큰 경우에만 들러 보기를 추천한다. 철문 안에서 들려오는 닭 우는 소리로 '김수영이 생계를 위해 운영했다던 양계장이 아직 있나?' 하고 상상해 볼 뿐이었다.

현대사의 질곡을 온몸으로 통과하며 쓴 시와 산문

허루해 보이던 김수영 본가 터를 떠나 김수영 문학관으로 향했다. 만약 문학관을 답사 출발점으로 정한다면 지하철 4호선 쌍문역에서 마을버스를 타고 '김수영 문학관' 정류장에서 내리면 된다. 문학관은 아파트에 둘러싸여 있지만 아파트가 다 가려질 정도로 키가 큰 나무들과 어우러져 자연 속에 있는 듯한 편안함을 느낄 수 있다. 문학관은 2013년 11월 27일, 김수영의 생일에 맞춰 개관했는데, 김수영 시인의 생애와 시 세계, 시인의 생활 모습 등을 두루 알아볼 수 있게 구성되었다.

문학관 입구로 들어서니 오른편 벽에 「풀」이 시인의 필체로 쓰여 있고, 푸른 하늘 아래 펼쳐진 풀밭에서 풀들이 바람에 흔들리는 영상이 나오고 있었다. 우리는 스크린 앞에 서서 커다란 프레임 안에 잠시 머물러 보았다. 한 포기 풀처럼 풍경의 일부가 되어 「풀」을 읊조렸다. 외부의 압력에 쓰러져도 의연하게 일어나는 경지란 어떤 것일까.

1층 제1 전시실에는 시와 평론이 주로 소개되고 있다. 벽을 따라 김수영의 연보가 붙어 있고, 중앙에는 시인의 시 세계에 영향을 준 사건과 관련 대표작이 빛바랜 육필 원고와 함께 전시되어 있다. 6·25 전쟁, 4·19 혁명, 5·16 군사 정변으로 이어지는 굵직한 한국 현대사를 겪어 낸 시인의 삶을 따라가 보니, 그가 왜 "나

김수영 문학관은 조용한 주택가에 자리 잡았다. 1층 입구에 들어서면 파란 하늘 아래 펼쳐진 푸른 풀밭이 바람에 일렁이는 영상을 만날 수 있다.

의 몸은 전부가 바로 '주장'입니다. '자유'입니다…….(산문 「저 하늘 열릴 때」 중)"라고 자유를 힘주어 말했는지 알 것 같았다. 자유가 억압되는 상황을 몸소 겪었기에 그의 시는 "자유를 위하여 출발(「조국으로 돌아오신 상병포로 동지들에게」 중)"하게 되었다.

4·19 혁명은 김수영의 시 세계가 변모한 이유 중 하나다. 그즈음부터 김수영은 기존의 관조적인 모더니즘 시에서 현실에 뿌리를 둔 참여시로 방향을 전환했다. 절대적이고 평등한 자유를 추구하는 태도는 김수영 시 전반에 나타나는 중요한 특징이 되었다.

1층 구석으로 가면 '시대와 시인과 시'라는 코너에서 8분 정도의 영상을 보며 김수영의 삶과 시를 더욱 생생하게 살펴볼 수 있다. 관람객 참여 공간인 '김수영 시를 읽고서'에서는 시를 읽고 느낀 점을 종이에 써서 전시할 수 있어 학생들과 함께 활동하기에 좋다. 김수영 관련 논문을 열람하는 학술 공간도 있다.

1층 가장 안쪽 중앙에 있는 '시작(詩作)' 코너는 김수영 시에 등장하는 시어가 적힌 막대들을 조합하여 자신만의 시를 창작하는 곳이다. 나무 막대를 보드에 붙이고 이리저리 배치해 가며 창의적 활동을 할 수 있다. 김수영을 이어 쓰는 작업이기도 하고, 김수영을 새로 쓰는 작업이기도 하다. 창작이기도 하고 놀이이기도 하다. 정성껏 쓴 시는 스마트폰으로 찍어 간직할 수 있다. 다른 시인의 시를 감상할 때에도 이 활동을 참고하여 시어만 뽑아 다시 시를 지어 보면 좋을 것이다.

절대 자유를 꿈꾸던 삶의 기록

2층 제2 전시실로 올라가면 좀 더 시인의 일상과 맞닿은 기록들을 만날 수 있다. 입구 오른쪽에는 김수영 문학상 상패와 두상 조각상이 있고, 그 위로 '내가 만난 김수영'이라는 제목 아래 문인들이 김수영에 대해 회고하는 내용이 적혀 있다.

김수영을 가리켜 신동엽은 "어두운 시대의 위대한 증인", 김현승은 "투명하고 정직한 시인"이라고 평가했다. 박두진의 조시(弔詩)도 크게 걸려 있는데, 김수영의 "예리한 지성", "문학인으로서의 성실" 등을 기억하며 그를 보내는 애석한 마음을 드러낸다. 문인들의 증언을 통해 그가 불의에 타협하지 않는 꼿꼿한 신념의 소유자이자 오직 시인으로 살다 죽은 시인임을 다시 느꼈다.

김수영은 6·25 전쟁의 참상을 온몸으로 겪어 내며 끔찍한 포로수용소 생활을 견뎠다. 당시의 생활과 분단 현실에 대한 그의 인식을 읽어 낼 수 있는 코너에서 우리는 거제 포로수용소를 배경으로 한 영화 「스윙키즈」의 장면들과 「어느 날 고궁을 나오면서」에 언급된 내용을 떠올리며 김수영의 포로 생활을 그려 보았다.

2층에는 산문 선집 『시(詩)여, 침을 뱉어라』 초판본과 재판본, 육필 원고도 전시되어 있다. 시 쓰기는 머리로 하는 것이 아니고 심장으로 하는 것도 아니고 온몸으로 밀고 나가는 것이라는 '온몸의 시학'을 확인할 수 있다. 1, 2층 전시실에 있던 대부분의 육필 원고에는 까맣게 지워지고 빨갛게 더해진 퇴고와 교정의 흔적이 가득해, 한 편의 글을 완성하기까지 그가 보냈을 고심의 시간을 짐작할 수 있었다.

시인이 남긴 번역물과 시인이 즐겨 읽었던 영어 문학잡지 『엔카운터』, 일본어로 된 『하이데거 전집』 등도 전시되어 있다. 김수영은 영어와 일본어에 능통해 외국 서적들을 원서로 읽었다. 하이데거의 시론은 외울 정도로 반복해서 읽었다고 한다. 폭넓은 독서와 번역으로 인식의 지평을 넓히고 자신만의 문학 세계를 이룩한 김수영의 지적 탐구심과 열정이 엿보인다.

제2 전시실에서 한눈에 시선을 잡아끄는 것은 가장 안쪽 중앙에 놓인 식탁이다. 시인이 실제 책상으로 사용했다고 하니 그의 온기가 전해지는 듯했다. 식탁은 보존이 잘되어 있고 튼튼해 보였다. 시인은 시를 쓸 때에는 동쪽을 향해 앉고, 번역을 할 때에는 남쪽을 향해 앉았다고 한다. 시인만의 고집과 습관이 특별하게 여겨진다.

서재를 복원한 이 공간의 벽에는 "상주사심(常住死心)"이라는 붓글씨 액자가 걸려 있다. '늘 죽음을 생각하며 살아야 한다.'라는 의미로, 시인의 좌우명이었다고 한다. 죽음을 통해 삶을 사유한 시인의 형형한 눈빛이 떠오르는 듯했다.

전시실의 왼쪽에는 김수영 연구서 및 다양한 문학 서적이 꽂힌 책장이 있고, 책 읽는 자리도 마련돼 있어 마치 북 카페 같았다. 1, 2층 전시실 안의 많은 원고와 설명 글을 읽느라 집중한 우리는

제2 전시실에 있는 식탁은 김수영이 실제 책상으로 사용했던 것으로 그의 고집과 습관이 단단하게 어려 있다.

이 공간에 앉아 잠시 휴식을 취했다. 네모난 창밖으로 푸른 나무가 언뜻 보여 가슴도 탁 트였다. 창 옆에는 시 「폭포」, 「눈」, 「거미」의 전문이 새겨져 있어 공간에 격을 더했다. 2층에서는 김수영의 생애를 보여 주는 다양한 흑백 사진들, 지인들에게 받은 서신, 그가 앉아서 시를 쓰고 일기를 썼던 좌탁, 생전에 쓰던 만년필 등으로 김수영을 더 친밀하게 느낄 수 있었다.

3층에는 김수영 문학 도서관이 있어 자료를 열람할 수 있다.

4층 강당은 행사를 위한 공간인데, 학생들과 단체 방문을 하면 1층에서 상영되는 김수영 영상을 여기서도 볼 수도 있으니 사전에 문의하고 활용하면 좋다. 4층에서 계단을 통해 한 층 더 올라가면 옥상 정원이 나온다. 실내에서 답답함을 느꼈다면 바람을 쐴 수 있는 이 공간에 앉아 쉬어도 좋다. 자연 경관과 정취를 한껏 느낄 수 있다.

함께 들르면 금상첨화인 인근 명소

김수영 시인의 작품과 자취를 중심으로 하는 답사이지만, 문학관에 온 김에 들르면 좋은 장소들도 있어 몇 군데 소개해 본다.

'연산군·정의공주묘' 버스 정류장에서 김수영 문학관으로 향하는 길목에는 500년 이상 자리를 지켜 온 은행나무가 있다. 고작 몇 사람의 아름으로는 에워쌀 수 없는 둘레에 절로 압도되어 가만히 바라보게 된다. 몇 걸음 더 들어가면 원당샘 공원이 나온다. 언뜻 물 위에 떠 있는 듯하여 분위기가 고즈넉한 정자는 지친 걸음을 잠시 쉬어 가기에 제격이다.

문학 답사 중 들르기에 도서관보다 더 적격인 곳은 없을 듯하다. 원당 마을 한옥 도서관은 새로 지은 한옥이 도시에 덩그러니 자리 잡았다는 것에서 한 번, 그 운치 있는 한옥의 용도가 신식 마을 도서관이라는 사실에서 두 번 놀라게 되는 곳이다. 학생들과 서가에서 각자 원하는 책을 골라 잠시 독서에 빠져도 좋고, 여름이라면 마당 툇마루에 앉아 그늘 아래서 쉬어도 좋을 것이다. 역사에 관심이 많은 학생과 함께라면 인근의 연산군 묘에 들르는 것도 의미가 있다. 조선 왕조 제10대 국왕인 연산군과 그의 부인 등이 함께 묻혀 있는 묘역을 걷노라면 왕의 묘역이라는 웅장함도 느껴지고, 덧없이 흐르는 세월의 쓸쓸함도 함께 밀려온다.

모두 김수영 문학관에서 도보로 5분 이내 거리에 모여 있어 어느 순서로 들러도 불편하지 않다. 학생들과 함께 경험과 식견을 넓혀 갈 생각에 벅찬 마음과 설렘으로 답사 경로를 이렇게도 저렇게도 계획해 본다.

연산군 묘 재실 마루에 앉아 한숨 돌리며 위를 올려다보니 기와 사이로 창처럼 열린 하늘이 푸르렀다. 노고지리의 모습이 바로 떠오르지 않아 사진을 찾아보았는데 참새와 닮은 듯하면서도 머리의 깃에 잔뜩 힘을 준 것이 참새와 달랐다. 그 멋진 새가 시인의 시구처럼 푸른 하늘을 자유롭게 나는 장면을 상상해 본다.

학생들과 함께 떠나기 좋은 답사 코스

김수영 시인이 살던 도봉구 일대를 걸으면서 그의 삶과 시 세계를 이해할 수 있는 코스이다. 김수영 문학관 방문을 답사 일정의 중심에 두고, 근처에 있는 연산군 묘 등을 탐방할 수 있다.

난도: ★★
추천 계절: 봄, 가을
만남의 장소: 지하철 1, 7호선 도봉산역 1번 출구 또는 '도봉산 입구' 버스 정류장

01 김수영의 문학적 업적을 기리는 김수영 시비

「풀」 전문을 준비해 가서 학생들과 함께 낭송해 보자. 시비를 둘러싸고 단체 사진을 찍을 수 있다. 김수영의 유골함도 있는 곳이므로, 작은 추모 꽃다발을 준비해 간다면 의미 있을 것이다.

대중교통 50분 ▸▸

02 김수영의 삶과 문학 세계를 이해할 수 있는 김수영 문학관

학생들이 '김수영 시인이 시에 담고자 했던 주제, 시인의 창작 활동에 영향을 준 역사적 사건들'을 찾고, 마음에 드는 시 한 편을 고르면서 관람하게 하자.

도보 3분 ▸▸

03 문학관 주변에서 야외 산책을 할 수 있는 원당샘 공원

원당 마을의 생활용수로 이용하던 원당샘을 공원으로 조성한 곳이다. 원당샘을 끼고 자리 잡은 정자에서 휴식을 취하기에 좋다. 근처에 있는 서울특별시 기념물 제33호 '서울 방학동 은행나무'도 만날 수 있다.

도보 1분 ▸▸

04 시대와 세대를 잇는 원당 마을 한옥 도서관

2022년에 개관한 도봉구립 공공 도서관으로, 원당샘 공원 바로 옆에 있다. 한옥의 고즈넉한 분위기 속에서 여유롭게 독서를 즐길 수 있는 공간이다.

도보 2분 ▸▸

05 문학 답사 끝에 문화유산 탐방도 할 수 있는 사적 연산군 묘

조선 왕조 10대 임금이었던 연산군과 그의 배우자 거창군부인 신씨가 안장된 묘이다. 샛길을 따라가면 나오는 재실은 답사 중 숨을 고르고 쉬기에 좋다.

대중교통 20분 ▸▸

01

02

05

한 학기 한 권 읽기 추천 도서 & 추천 콘텐츠

■■ 『김수영을 읽다』(전국 국어 교사 모임, 휴머니스트)

김수영 시인과 그의 시 세계를 쉽고 자세하게 설명한 책으로, '한 학기 한 권 읽기' 도서로 활용 가능하다. 이 책은 먼저 김수영의 삶과 작품 세계를 살펴본 후, 대표작 20편을 가려 뽑아 해설과 감상을 수록했다. 주요 시어나 시구의 의미를 친절하게 풀이하여, 김수영의 시가 지닌 가치와 매력을 발견하게 해 준다.

■■ 지식채널e 「그 해 4월, 시인 김수영」 1부, 2부(EBS)

김수영의 시 세계를 현대사의 역동적인 정치적 배경과 함께 이해하기에 좋은 영상이다. 3·15 부정 선거, 4·19 혁명, 군사 정권 등 정치적 배경 속에서 시인이 '자유'와 '저항'을 노래하는 작품을 창작했다는 것을 그의 시구, 산문집의 문장 등을 통해 이해할 수 있다. EBS 공식 홈페이지에서 볼 수 있다.

■■ 음원 「풀」, 「아픈 몸이」(트루베르)

프랑스어로 '음유 시인'이라는 뜻인 '트루베르'는 시를 노래로 부르는 팀이다. 2021년 트루베르는 밴드 이지에프엠과 함께 김수영 시인 탄생 100주년 기념 앨범을 냈다. 총 4개의 트랙으로 이루어진 이 앨범에는 김수영의 시 「풀」과 「아픈 몸이」가 음악과 낭송으로 담겨 있어 시를 새로운 방식으로 감상할 수 있다. 음원은 트루베르 유튜브 공식 계정과 각종 음원 사이트에서 이용 가능하다.

■■ 영화 「스윙키즈」

1951년 6·25 전쟁 중 거제도 포로수용소에서 전쟁 포로들이 댄스단을 결성하며 빌어지는 이야기를 그린 영화다. 김수영도 6·25 전쟁 중 거제도 포로수용소에서 자유가 억압된 비참한 생활을 했고, 이 경험을 바탕으로 여러 시와 산문을 남겼다. 김수영의 포로수용소에서의 삶과 생각을 엿볼 수 있는 시 「어느 날 고궁을 나오면서」, 산문 「내가 겪은 포로 생활」 등과 연계해 감상할 수 있다.

매화 향기를 남기고 떠난 시인

강노빈(전농중학교)·고성주(문래중학교)·나누리(신상중학교)·정소리(원촌중학교)·최영민(배재중학교)

뜨거운 마음으로 올곧은 길을 걷다, 이육사

문화 공간 이육사 → 264 예술 공원 → 이육사 시인 길 → 홍릉숲 → 청량리역

요즘에는 국어 교과서에 시가 1~2편만 실리다 보니, 이육사 시인을 아는 학생들이 많지 않은 듯하다. 그러나 이육사 시인이 살아온 치열한 삶의 흔적을 의외로 우리 가까이에서 찾아볼 수 있다. 이육사는 시인이자 독립운동가였다. 도저히 "한 발 재겨 디딜 곳조차" 없는 암담한 일제 강점기에도 "가난한 노래의 씨"를 뿌린 이육사 시인을 만나러 가 보자.

#이육사 #청포도 #일제 강점기 #독립운동가 #시인 #광야 #신석초

개학을 하루 앞둔 8월의 어느 날, 한여름 무르익은 청포도가 가득한 '문화 공간 이육사' 앞에서 우리는 한껏 상기된 마음으로 반가이 인사를 나누었다. 답사 전 여러 매체로 이육사를 만나 보았지만, 고은주의 소설 『그 남자 264』, 천명기의 웹툰 『이육사: 초강의 사』, MBC 8·15 광복절 특집극 「절정」에 담긴 삶이 조금씩은 달라 아직 이육사의 모습이 선명히 그려지지는 않았다.

답사의 끝엔 각자의 이육사를 선연히 떠올릴 수 있기를 바라며, 그의 시 정신이 알알이 맺힌 종암동을 탐색해 보기로 했다. 문화 공간 이육사와 264 예술 공원을 거쳐 이육사 시인 길을 따라 홍릉숲과 청량리역을 천천히 걸어가며 이육사를 만나 보자.

종암동의 숨겨진 꽃,
문화 공간 이육사

문화 공간 이육사는 고려대역 3번 출구로 나와 성북 21번 버스를 5분 정도 타면 도착한다. 차창 밖 종암동의 골목길은 정감이 가득하다. 선선한 날엔 학생들과 함께 고려대역에서부터 이곳까지 약 15분간 걸으며 동네의 정취를 느껴 보아도 좋을 듯하다.

버스에서 내리면 낮은 건물들 사이에 곧게 서 있는 문화 공간 이육사 건물이 보인다. 원래는 시인의 옛집에 공간을 마련하고 싶었지만, 이미 빌라가 들어서는 바람에 인근 적당한 터의 작은 집들을 겨우 모아 이곳을 세웠다고 한다. 좁은 터에 우뚝 선 건물의 모습을 보니 극한의 상황에 널려서도 강인한 생명력을 피워 낸 듯, 이육사의 「꽃」이 떠올랐다.

동방은 하늘도 다 끝나고
비 한 방울 내리잖는 그때에도
오히려 꽃은 빨갛게 피지 않는가
내 목숨을 꾸며 쉬임 없는 날이여

– 「꽃」 중

문화 공간 이육사는 4층까지 속속들이 알찼다. 우리는 1층 청포도 라운지에서 이육사 시인과 관련된 책자를 읽어 보고 2층 광야 상설 전시실로 올라갔다. 계단을 오르는 동안 자연스럽게 벽면을 따라 이육사의 연대기를 짚어 볼 수 있었다.

이육사는 1904년 경북 안동에서 퇴계 이황의 13대손인 아버지와 의병장의 딸인 어머니 사이에서 태어났다. 선비 정신과 민족의식이 투철한 집안에서 할아버지에게 한학을 배우며 유년 시절을 보냈다. 1927년 항일 의거에 연루되어 처음으로 투옥되었다가 2년 만에 출소했고, 다시 대구 청년 동맹 간부로서 붙잡혔다가 풀려나는 등 수많은 탄압을 받았지만 저항 정신을 굽히지 않았다.

1932년에는 무장 독립운동 단체인 의열단에 입단하여 난징에서 군사 간부 교육을 받았다. 그곳에서 폭탄 제조법과 투척법, 피신법, 무기 운반법 등을 배우고 격렬한 현장에서 직접 몸으로 부딪치며 평생 독립운동가로서 치열한 삶을 살았다.

이처럼 이육사는 무장 투쟁에 앞장선 한편, 1933년 「황혼」을 발표하며 문학이라는 예술적인 방법으로 독립을 위한 움직임을 모색하였다. "나에게는 행동의 연속만이 있을 따름이오. 행동은 말이 아니고 시를 생각한다는 것도 행동이 되는 까닭이오."라는 말은 시인의 평소 신념을 보여 준다.

서울시 종암동에 거주하던 1939~1942년은 이육사가 가장 많은 작품을 발표한 시기이기도 하다. 그중에서도 대표적인 시가 2층 전시실 대형 터치스크린에 펼쳐진다. 이외에도 엽서에 시를 필사하거나 시인에 대한 영상을 감상하는 등 누구나 쉽게 체험할 만한 요소들이 다채롭게 마련되어 있다.

한쪽 벽에는 시인의 이름에 담긴 뜻과 변천사가 실려 있다. 이육사의 본명은 이원록으로, 어릴 때 이름은 원삼이다. '육사'라는 이름은 처음 투옥되었을 때의 수인 번호(수감자의 가슴에 붙은 번호) 264에서 따온 것이다. 이후 '육사(六四)'라는 필명은, 식민지 조선인의 냉소를 담아 '고기를 먹고 설사한다'는 뜻의 '육사생(肉瀉生)'을 거쳐 '역사를 죽인다'라는 뜻의 '육사(戮史)'로 바뀌었다가 다시 같은 뜻을 가지면서도 온건한 '육사(陸史)'로 지금까지 전한다.

문화 공간 이육사의 운영 시간은 매주 화요일~토요일 10~18시이며, 3층 교목 기획 전시실에서는 때에 따라 각종 테마 강연이나 프로그램 등 다양한 활동이 진행된다. 기획 전시 기간에 맞

문화 공간 이육사에 들어서면 시인의 얼굴을 마주할 수 있다. 시인을 기억하는 방문자들의 메모가 눈길을 끈다.

춰 방문한다면 학생들이 이육사를 더욱 깊이 있게 알아 갈 수 있을 것이다.

푸른 하늘과 맞닿은 4층 옥상에는 이육사 포토 존이 마련되어 있다. “서울의 하늘을 사랑해 그 밑에서 일어나는 일들을 모두 기억해 두었다.”라는 이육사의 말을 떠올려 보았다. 이육사의 시와 사진 한 장으로 함께하니 시인의 마음이 더 짙게 다가왔다.

청포도 향 가득한 동네

문화 공간 이육사를 나와 세 걸음 걸으면 264 예술 공원이 등장한다. 이곳은 마을 주민들이 이육사를 기리며 함께 조성한, 애정 어린 공간이다. 작은 공원 안쪽에는 마침 청포도가 주렁주렁 열려 푸르게 빛나고 있었다.

1939년 8월에 발표된 시 「청포도」는 이육사가 가장 아낀 작품이다. "내가 어떻게 이런 시를 쓸 수 있었을까. '내 고장'은 조선이고 '청포도'는 우리 민족인데, 청포도가 익어 가는 것처럼 우리 민족이 익어 간다. 이제 곧 일본도 끝장난다." 이는 이육사가 1943년, 아픈 몸을 추스르려 경주 남산에 들렀을 때 먼저 와 요양하고 있던 이석우에게 털어놓은 말이다. 일본의 패망과 조선의 독립을 확신하던 이육사의 마음이 담긴 「청포도」를 낭독해 보았다.

내 고장 칠월은
청포도가 익어 가는 시절

이 마을 전설이 주저리주저리 열리고
먼 데 하늘이 꿈꾸려 알알이 들어와 박혀

하늘 밑 푸른 바다가 가슴을 열고

흰 돛 단 배가 곱게 밀려서 오면

내가 바라는 손님은 고달픈 몸으로
청포를 입고 찾아온다고 했으니

내 그를 맞아 이 포도를 따 먹으면
두 손은 함뿍 적셔도 좋으련

아이야 우리 식탁엔 은쟁반에
하이얀 모시 수건을 마련해 두렴

– 「청포도」

동트기 전이 가장 어둡다는 말이 있듯이, 해방을 앞두고 가장 암울했을 1940년대에도 이육사가 독립에 대한 의지와 희망을 놓지 않은 것은 강한 저항 정신 때문이었다. 청포도 한 알에 담긴 소중함을 안고, 우리는 '이육사 시인 길'로 불리는 종암동 북바위 둘레길 3구간을 걸었다. 생전에 이 길목을 적잖이 걸었을 시인을 생각하며 그 마음과 자세를 어렴풋하게나마 느껴 볼 즈음에 시인이 살던 집터에 도착했다.

집터에는 꽤 오래된 빌라가 있었다. 시인의 집을 복원할 길이 없겠구나 싶어 퍽 안타까웠다. 그래도 걷는 길 곳곳에 등장하는 청포도 나무를 보니 이육사가 남겨 둔 기억이 알알이 맺힌 것 같

264 예술 공원 한편에 청포도가 알알이 맺혔다. 문화 공간 이육사에서 진행하는 행사와 축제가 이곳에서 열리기도 한다.

아 아쉬움이 조금은 가셨다. 600미터의 길을 다 걸으니 그의 초록빛 시 정신에 함빡 물들어 온몸에 풋내음이 나는 듯했다.

독립을 위한 마음이 남은 홍릉숲

이육사 시인 길에서 몸도 마음도 충전하며 여유롭게 내려오다 보니 어느새 고려대역 삼거리가 보였다. 고려대역 삼거리에서 정릉천 쪽으로 계속 걷다가 종암 대교를 건너 국방 연구소를 지나 홍릉숲(국립 산림 과학원)에 도착했다. 1943년, 당시 임업 시험장이었던 이곳에서 이육사는 신석초 시인과 함께 눈길을 밟으며 베이징에 가겠다는 결심을 털어놓았다.

이육사는 신석초에게 다시 눈밭 길을 밟자고 했지만, 안타깝게도 그 약속은 영영 지켜지지 못했다. 그해 4월에 베이징으로 떠난 이육사는 국내 무기 반입 계획을 세웠는데, 7월에 어머니와 맏형 소상에 참여하러 귀국했다가 늦가을에 붙잡혀 베이징으로 압송되었기 때문이다. 마흔 평생에 17번의 옥고를 치르고도 독립운동의 길을 계속 걷고자 했던 시인 이육사. 독립을 향한 그의 굳센 마음이 홍릉숲에 여전히 머물러 있는 듯했다.

홍릉숲은 이육사가 벗이었던 신석초 시인을 만나 걸으며 자신의 마지막 행보를 밝힌 곳이다. 둘은 다시 만나기로 했지만 안타깝게도 약속은 지켜지지 않았다.

그의 담담한 뒷모습이 깃든 청량리역

우리의 여정은 이제 마지막 장소인 청량리역을 향했다. 곧게 이어진 담벼락을 따라 도보로 20분가량을 쭉 내려갔다. 청량리역은 이육사의 딸, 이옥비 여사가 베이징으로 다시 압송당하기 전의 아버지를 마지막으로 본 곳이다. 머리에는 중죄인을 뜻하는 용수를 쓰고, 다리에는 족갑을 차고, 몸은 포승줄로 묶이고도 당당한 모습이었다고 한다. 시인이자 독립투사였던 이육사는 차갑고 매서운 그 길을 의연히 걸어갔을 것이다.

이육사의 시에서 '조국'과 '독립'은 묵직하다. 끓어오르는 독립의 열망과 피를 찍어 쓴 듯한 그의 시에서는 죽음을 각오한 마음이 느껴진다. 일제에 붙들려 다시 베이징으로 이송되어 가며 구상했다는 시, 「광야」를 떠올리며 어느새 청량리역에 도착했다. 길다면 꽤 긴 길을 걸어왔다. 답사 과정에서 이육사 시인과 함께 걸어서일까. 가슴이 뜨거워 잠시 하늘을 보았다. 이육사가 그렇게도 그리던 독립한 조국의 푸른 하늘이 함빡 마음에 젖어 들어왔다.

학생들과 함께 떠나기 좋은 답사 코스

이육사 시인이 서울에 거주하며 남긴 흔적을 찾아가는 코스이다. 문화 공간 이육사를 답사의 중심에 두고 그 주변을 탐방해 보자. 홍릉숲~청량리역 구간은 걷기 코스로 추천한다.

난도: ★★
추천 계절: 여름~가을
만남의 장소: 문화 공간 이육사

01 시인에 대한 애정이 가득한 문화 공간 이육사

독립운동가이자 시인 이육사를 기념하는 복합 문화 공간이다. 이육사는 1939년부터 성북구 종암동에 거주하며 많은 시를 발표했는데, 이를 기념해 만든 지역 문화 공간이다.

도보 1분 ▸▸

02 마을의 전설이 주저리주저리 열리는 264 예술 공원

문화 공간 이육사에서 진행하는 다양한 문화제가 열리는 축제의 장이기도 하다. 여름에 방문했다면 공원 한편에 열린 청포도를 배경으로 시비에 적힌 「청포도」를 낭송해 보자.

도보 1분 ▸▸

03 초록빛으로 물든 이육사 시인 길

종암동 북바위둘레길 3구간이 이육사 시인 길이다. 시작 지점에서 얼마 지나지 않아 이육사의 집터를 만나 볼 수 있는데, 안타깝게도 이미 빌라가 들어섰다.

도보 25분 ▸▸

04 독립운동가의 숨결을 느껴 보는 홍릉숲

이육사는 절친한 신석초 시인과 홍릉숲의 눈길을 밟으며 독립운동을 위해 베이징으로 떠날 것임을 알렸다. 이육사의 마음을 헤아리며 홍릉숲을 산책해 보자.

도보 20분 ▸▸

05 가슴 아픈 마지막 인사를 나눈 청량리역

청량리역은 이육사가 베이징의 감옥으로 끌려가며 아내와 어린 딸에게 작별 인사를 한 장소이다. 잠시 이육사를 기리며 답사를 마무리해 보자.

대중교통 15분 ▸▸

01

04

05

한 학기 한 권 인기 추천 도서 & 추천 콘텐츠

■■ 특집 드라마 『절정』(MBC)

광복절 특집으로 2011년에 제작된 드라마(총 2시간)이다. 당시 시대적 배경 속에서 인물의 갈등과 심리가 잘 드러나 있어 시인이자 독립운동가였던 이육사의 삶을 이해하는 데 도움이 된다.

■■ 독립 영화 「264: 시를 남긴 무장 독립투사」

경상북도 독립운동 기념관 공모전에 당선된 작품으로 여러 후원과 도움을 받아 독립운동가 이육사의 모습을 담아냈다. 2022년에 제작된 작품으로, 학생들과 비슷한 세대인 20대 젊은 감독의 시선을 느낄 수 있다.

■■ 『그 남자 264』(고은주, 문학세계사)

이육사라는 인물을 살아 숨 쉬듯 생생하게 그려 낸 소설이다. 소설이라는 허구적 장르임에도 불구하고 역사적 고증을 거쳤기에, 시대와 인물에 대한 이해는 물론 이육사에 대한 애정과 관심을 불러일으킬 수 있다.

■■ 『은하수, 이육사 수필과 산문집』(이육사, 북크크)

이육사의 수필 15편과 산문 12편이 담긴 책이다. 시 외의 작품들을 이육사 문학관(www.264.or.kr) 등 온라인에서 찾아볼 수 있지만, 오탈자와 띄어쓰기를 바로잡아 인쇄된 형태로 접할 수 있다는 점에서 유용하다.

■■ 『이육사를 읽다』(전국 국어 교사 모임, 휴머니스트)

이육사의 삶과 작품 세계를 소개하고, 키워드를 중심으로 대표 시 21편에 대한 해설을 제공한다. 학생들에게 이육사의 시가 지닌 아름다움을 소개하고 싶은 선생님들의 친절한 감상이 실려 있다.

우리 고유의 아름다움을 사랑한 사람들

노윤화(평내고등학교)·송수진(호평중학교)

문학의 향기가 가득한 성북동

🚶 최순우 옛집 → 길상사 → 수연산방 → 심우장

무더운 여름날, 문학의 향기가 가득한 서울시 성북구 성북동의 다양한 장소에 방문했다. 최순우 옛집, 길상사, 수연산방, 심우장을 둘러보며 '우리 고유의 것'을 사랑한 이들의 흔적을 느꼈다. 우리 미술의 아름다움을 알리려 한 최순우 선생, 우리 민족 고유의 문화를 시에 담아내려 한 백석 시인, 옛것을 소중히 여기는 마음을 소설 작품에 표현한 이태준 소설가와 조선의 독립을 위해 결연한 의지를 보였던 한용운 시인까지, 고즈넉한 분위기의 성북동에서 우리 고유의 아름다움에 스며들어 보자.

#최순우 #백석 #이태준 #한용운 #법정 스님 #김영한

지하철 4호선 한성대입구역에서 내려 처음 마주한 성북동은 한적하고 고즈넉했다. 서울 도심이지만 사람이 많지 않고 전체적인 분위기가 조용해 마음이 편안해졌다. 우리는 역에서 가까운 최순우 옛집을 시작으로, 버스를 타고 언덕을 올라가 길상사에서 시간을 보낸 뒤 다시 내려와 수연산방과 심우장을 둘러보기로 했다. 성북동은 구불구불한 언덕길이 많아 걸어 다니기 힘들지만, 다양한 문인들의 삶을 엿볼 수 있는 보물 같은 동네이기도 하다.

길상사에서는 백석 시인과 자야의 슬픈 사랑 이야기를 떠올려 보았고, 심우장에서는 조국의 독립을 위해 평생을 희생한 한용운 시인의 마지막 흔적을 볼 수 있었다. 또한 소설가 이태준이 살았던 가옥인 수연산방에서 구인회의 흔적을 찾아볼 수 있었고, 미술사학자 최순우 선생이 살았던 옛집에서 그의 수필집 『무량수전 배흘림기둥에 기대서서』를 만나 볼 수 있었다. 작고 조용하지만 문학적 유산이 풍부한 성북동을 여행하며, 그 매력에 천천히 스며들었다.

우리 미술을 사랑했던 최순우 선생의 삶을 듣다

한성대입구역 6번 출구로 나가면 2분 거리에 버스 정류장이 있다. 거기서 버스를 타고 세 정류장만 가면 최순우 옛집에 도착한다. 최순우 선생은 우리 미술과 문화재를 무척이나 사랑했으며, 그 사랑을 혼자 간직하는 것에 그치지 않고 우리 미술의 아름다움을 책을 통해 널리 알린 인물이다. 『무량수전 배흘림기둥에 기대서서』에서는 건축, 불상, 석탑, 회화 등 다양한 분야에 걸쳐 우리 문화재를 소개하는데 문장 하나하나에 우리 것에 대한 애정이 듬뿍 담겨 있다.

그래서일까, 최순우 선생이 1976년부터 생애를 마칠 때까지 살았던 최순우 옛집에도 우리 문화 고유의 아름다움이 잘 남아 있다. 1930년대 지은 한옥으로 'ㄱ 자형' 안채와 'ㄴ 자형' 바깥채가 마주 보되 모서리가 트인 '튼 ㅁ 자형'이며, 마당에는 작은 연못에 수련 잎이 떠 있고 오래된 향나무가 중심을 지키고 있다.

최순우 옛집은 주변 지역이 개발되면서 없어질 위기에 처했지만 시민들의 후원으로 한국내셔널트러스트가 매입하여 보수하고 복원했다. 선생이 집필실로 쓴 사랑방 앞에는 '두문즉시심산(杜門卽時深山)'이라는 글귀가 걸려 있다. 이는 '문을 닫으면 곧 깊은 산속'이라는 뜻으로, 속세를 피해 은둔했던 조선 시대 선비의 모습을 떠오르게 한다. 백자와 목가구로 정갈하게 방치레를 한 사랑방을 둘러보며, 우리 옛것을 사랑하는 마음으로 한 글자 한 글자 글을 써 내려갔을 최순우 선생의 노년기 모습을 상상해 볼 수 있다.

최순우 옛집의 마당을 큰 향나무와 아기자기한 연못이 지키고 있다. 마루에 걸터앉아 마당을 바라보면 마음이 한없이 평온해진다.

눈은 푹푹 나리고,
아름다운 나타샤는 나를 사랑하고

"1,000억 재산이 그 사람 시 한 줄만도 못해."는 1,000억 원 상당의 길상사 터를 법정 스님에게 시주한 김영한이 세상을 떠나기 전에 한 말이다. 어떤 대단한 시인이길래 시 한 줄이 1,000억 재산보다 값지다는 것일까? 그 시인은 바로 백석이다. 길상사에는 백석과 김영한의 이루지 못한 사랑 이야기가 담겨 있다.(김영한의 일방적인 주장이라는 의견도 있다.)

함흥에서 영어 교사로 재직하던 1936년, 백석은 기생 김영한에게 첫눈에 반해 불꽃같은 사랑을 시작했다. 백석은 김영한에게 이백의 시구에 나오는 '자야'라는 애칭을 지어 주기도 했다. 하지만 신분의 차이와 집안의 반대로 엇갈리고, 분단까지 겪으며 백석은 북에, 김영한은 남에 남아 영원히 이별하게 된다. 평생 백석을 그리워한 김영한은 자신이 죽으면 눈이 펑펑 내리는 날 길상사 뜰에 뿌려 달라는 유언을 남겼고, 김영한의 공덕비 옆에는 백석이 지은 「나와 나타샤와 흰 당나귀」 시비가 세워졌다.

한편 백석은 일제 강점기라는 혹독한 시기에도 일본어로 된 시는 한 편도 쓰지 않고, 자신의 고향인 평안도의 토속적인 방언을 시에 많이 사용하며 우리 민족의 주체성을 지키려고 했다. 또한 유년 시절의 체험을 바탕으로 고향의 전통 음식과 놀이 문화를 시에 담아내며 우리 고유의 것을 지키려는 의지를 보이기도 했다. 그런 백석이 해방 이후에 북한의 한 첩첩산중 마을에서 농사를 짓다가 조용히 세상을 떠났다는 이야기는 어쩐지 마음을 쓸쓸하게 한다. 재북 시인이었기에 남한에서는 백석의 흔적을 많이 찾아볼 수 없어 아쉽지만, 길상사를 둘러보며 백석 시인의 시와 삶을 함께 떠올려 보는 것도 좋겠다.

종교 간의 경계를 허물고

길상사에 들어서면 관세음보살상을 먼저 만난다. 관세음보살의 원력으로 이 세상 온갖 고통과 재난에서 벗어나기를 바라며 세웠다는 관세음보살상. 차분하게 눈을 감은 채 손바닥을 펴들고 있는 이 관세음보살상에는 재미난 사실이 있는데, 바로 혜화동 성당의 성모 마리아상을 조각한 가톨릭 신자 최종태 조각가가 제작했다는 것이다. 당시 가톨릭의 김수환 추기경과 불교의 법정 스님은 종교 간 벽을 허물기 위해 교류를 하고 있었으며, 법정 스님이 종교 간 화해의 상징으로 최종태 조각가에게 관세음보살상 제작을 의뢰했다고 한다. 법정 스님은 길상사 창건 당시 "길상사가 불자들만이 아니라 누구나 부담 없이 드나들면서 마음의 휴양과 삶의 지혜를 나눌 수 있는 공간이었으면 한다."라고도 언급했다. 종교 간 경계를 넘어 모든 이의 평안을 빌었던 법정 스님의 큰 뜻을 길상사 곳곳에서 느낄 수 있었다.

길상사 내부에 있는 관세음보살상은 가톨릭과 불교의 종교 간 화해의 의미를 담고 있다.

도심 속에서도 옛것을 지키고 있는 수연산방

길상사에서 성북로 방향으로 15분 정도 걸으면 성북 구립 미술관이 나온다. 미술관을 지나 걷다 보면 오른쪽 작은 숲속에 수연산방이 보인다. 수연산방은 상허 이태준의 고택으로 '문인들이 모이는 산속의 작은 집'이라는 뜻이다. 이태준은 1933년부터 1946년까지 이곳에 머물며 「달밤」, 「손거부」, 「색시」, 「가마귀」 등을 발표했다.

이태준은 어릴 때부터 외롭고 불우한 생활을 하다가 1930년대로 접어들면서 경제적, 심리적 안정을 이루고 소설가로서 명성도 얻기 시작했다. 1934년 첫 번째 소설집 『달밤』을 출간했는데 문학적 완성도가 높아서 당시 비평가들에게 호평을 받았을 뿐만 아니라 독자들에게 2,000~3,000부가 팔렸다고 한다. 당시의 출판 사정을 고려하면 엄청난 판매 부수이다.

김기림, 정지용, 이상, 김유정 등 구인회 문인들은 수연산방에서 시와 문학과 삶을 논하며 밤을 지새웠다. 수연산방은 얼핏 전통 한옥으로 보이지만, 사랑채와 안채를 한 건물에 배치한 1900년대 개량 한옥이다. 이태준의 외종손녀가 1999년 전통찻집으로 개조해 현재까지 운영하고 있다.

이태준은 일제 강점기 근대화, 도시화의 영향으로 소중하고 고상한 옛것을 하찮게 여기는 풍조를 안타까워했고 돈이 최고라는 물질만능주의에는 경멸 어린 시선을 보내기도 했다. 이태준의 작품에는 이러한 자신을 투영한 듯한 인물들이 등장한다.

「달밤」의 이 선생은 동네 사람들에게 '반편이', '못난이'라고 무시당하는 신문 배달부 황수건에게 관심을 가지고 그에게서 보편적인 인간성을 발견한다. 어려서부터 가난과 고독을 겪었던 이태준은 누구보다도 소외되고 외로운 사람들의 삶을 이해하고 연민과 애정을 가졌을 것이다. 소설 「돌다리」에서 병원을 확장하기 위해 땅을 팔자고 하는 아들에게 땅은 천지만물의 뿌리가 되는 근원이라고 말하는 아버지는 전통을 중시하고 옛것을 소중하게 여기는 이태준과 겹쳐 보인다.

조선 독립을 향한 결연한 의지가 어린 심우장

수연산방에서 나와 성북 구립 미술관 앞에 있는 횡단보도를 건너 답사 4번째 장소인 심우장을 향해 걸어갔다. 성북로를 따라 걷다가 만해 산책 공원이 나오면 독립 선언서를 말아 쥔 한용운의 동상을 만날 수 있고, 공원 왼쪽에 있는 계단을 따라 걸어 올라가면 심우장에 도착한다.

심우장은 만해 한용운이 1933년부터 1944년까지 살았던 곳이다. 전체 규모가 5칸으로, 가운데 대청을 중심으로 왼쪽에 온돌방, 오른쪽에 부엌이 있다. 부엌 뒤쪽에는 식사 준비를 하는 찬마루가 있다. 한용운의 서재였던 온돌방에는 "심우장(尋牛莊)"이라는 현판이 걸려 있는데 한용운과 함께 독립운동을 했던 서예가 오세창이 썼다.

심우장이란 깨달음을 찾아 수행하는 과정을 잃어버린 소를 찾는 일에 비유한 불교 설화에서 유래한 것이다. 처음 이 집을 지을 때는 여름에 시원하고 겨울에 볕이 잘 드는 남쪽으로 주춧돌을 놓았지만, 한용운은 남향으로 집을 지으면 조선 총독부를 바라보게 된다며 북향으로 고쳐 지었다.

1919년 3·1 운동 「독립 선언서」 작성에 참여했다는 죄로 일제에게 체포된 한용운은 구속되면서 3가지 원칙을 제시했다. 변호사를 선임하지 말 것, 사식을 들이지 말 것, 보석을 요구하지 말 것. 많은 민족 대표가 이 3가지 원칙을 실천하지 못했지만 한용운은 끝까지 흔들리지 않았다. 일본인 검사와 경찰의 심문 과정에서도 흐트러지는 법 없이 당당하게 자신의 신념을 밝혔다. 또한 "나는 조선 사람이다. 왜놈이 통치하는 호적에 내 이름을 올릴 수 없다."라며 평생을 호적 없이 지냈다.

투옥 기간 동안 한용운은 일제로부터 3·1 운동을 뉘우치는 글을 써내면 사면해 주겠다는 회유를 당하기도 했다. 하지만 이에 굴복하지 않고 1921년 가을, 만기 감형으로 출소했다. 한용운은 그토록 바라고 바라던 조선의 독립을 결국 보지 못하고 1944년 6월 29일 세상을 뜨고 말았다.

하루 종일 성북동을 걸으며 우리 문화유산에 대한 애정이 진해졌다. 우리가 찾아갔던 곳의 주인공들은 모두 세월 속에 사라졌지만, 그들이 직접 심고 가꾸었던 꽃과 나무들은 여전히 자기 자리를 꿋꿋이 지키고 있다. 세월이 지나도 빛을 발하는 그들의 정신과 문화 앞에서 우리는 앞으로 어떻게 살아가야 하는지 잠시 생각에 잠겼다.

학생들과 함께 떠나기 좋은 답사 코스

최순우 옛집을 돌아본 후 버스를 타고 언덕을 올라가 길상사를 산책한다. 이후 다시 버스를 타고 내려와 수연산방과 심우장을 둘러본다.

난도: ★★
추천 계절: 가을
만남의 장소: 지하철 4호선 한성대입구역

01 우리 문화의 고유함이 남아 있는 최순우 옛집

내셔널트러스트 활동가에게 내부를 관람하고 싶다고 요청하면 최순우 선생과 집에 대한 재미있는 이야기를 들을 수 있다.

대중교통 16분 ▸▸

02 모든 이의 평안을 비는 공간 길상사

마을버스 02번을 타면 길상사 바로 앞에서 내릴 수 있다. 언덕길을 걸어 올라가면 조금 힘들 수도 있다. 가을에 가면 단풍으로 아름답게 물든 길상사를 감상할 수 있다. 길상사를 산책하며 마음의 평안을 느껴 보자.

대중교통 17분 ▸▸

03 "문인들이 모이는 산속의 작은 집" 수연산방

90년 전 이태준이 생활하면서 소설을 쓰던 곳. 아담하고 고즈넉한 한옥으로 지금은 전통 찻집으로 운영된다. 3~4명의 학생들과 함께 전통차를 마시면서 이태준의 소설을 미리 읽고 이야기를 나누어 보자. 다수의 학생들과 방문하기에는 장소가 넓지 않다.

도보 10분 ▸▸

04 독립을 향한 굳센 의지를 느낄 수 있는 심우장

만해 한용운이 조선 총독부를 바라보지 않기 위해서 북향으로 지은 한옥. 조선의 독립에 평생을 바친 한용운의 자취가 느껴진다. 한용운의 시 중에서 마음에 드는 시를 골라 낭송해 보는 것도 좋다.

대중교통 10분 ▸▸

01

02

04

한 학기 한 권 읽기 추천 도서 & 추천 콘텐츠

■■『청소년을 위한 무량수전 배흘림기둥에 기대서서』(최순우, 학고재)

최순우 선생의 대표 저서『무량수전 배흘림기둥에 기대서서』를 청소년의 눈높이에 맞게 편집한 책. 최순우 옛집을 둘러보며 최순우 선생의 삶의 이야기를 들은 후 이 책을 읽으면 한국의 미에 대한 최순우 선생의 애정과 자긍심을 더 잘 느낄 수 있다.

■■『백석을 읽다』(전국 국어 교사 모임, 휴머니스트)

백석의 시를 키워드 중심으로 쉽고 재미있게 풀어 설명하는 책. 우리 고유의 음식과 놀이 문화가 잘 나타난 시, 외로움과 쓸쓸함이 잘 나타난 후기의 시 등 백석의 대표작을 감상할 수 있다. 화자의 감정을 절제하면서도 독자에게 무한한 감동을 주는 백석 시의 매력을 전한다.

■■『이태준을 읽다』(박기호, 휴머니스트)

이태준의 소설을 쉽게 안내하는 책. 이태준의 소설을 제대로 읽어 내기 위해 그의 삶과 문학 세계를 살펴본 뒤 대표작 4편(「달밤」, 「까마귀」, 「복덕방」, 「돌다리」)을 소개한다. 단편 소설을 읽다 보면 이태준 소설이 지닌 가치와 매력을 새롭게 발견할 수 있다.

■■『한용운을 읽다』(전국 국어 교사 모임, 휴머니스트)

한용운의 시를 쉽게 안내하는 책. 시를 온전히 이해하는 데 필요한 한용운의 삶과 그의 작품 세계를 살펴본 후, 대표 시들을 가려 뽑아 시에 대한 설명과 감상 글을 덧붙였다. 시를 읽으면서 자기만의 감상을 이야기해 보아도 좋다.

문학에 담긴 치열한 삶과 역사

백소담(신도중학교)·천경미(상암중학교)
최윤지(신도중학교)·황혜정(창덕여자중학교)

『백범일지』로 따라가 보는 김구의 발자취

백범 김구 기념관 → 김구의 묘 → 삼의사의 묘

『백범일지』는 한 사람의 자서전이라는 측면에서 기록의 중요성을 보여 주는 귀한 자료이다. 그 기록에 담긴 사회적이고 시대적인 상황을 살펴보며, 개인의 사상이 담긴 글을 어떻게 현대적 관점에서 해석할지 고민하게 된다. 백범 기념관 관람을 시작으로 김구의 묘와 삼의사의 묘를 둘러보는 동안, 애국지사들이 당대의 상황을 어떻게 극복해 나갔는지 확인하고 깊은 울림을 느낄 수 있다.

#서울 용산구 #백범일지 #김구 #삼의사 #안중근

효창 공원은 조선 정조의 아들인 문효세자의 묘가 있었던 곳으로 본래 효창묘로 불렸다. 이후 문효세자의 어머니 의빈 성 씨와 순조의 후궁인 숙의 박 씨 등이 묻히며 왕실의 묘역으로 자리 잡았고, 고종 때 효창원으로 명칭이 바뀌었다. 그러다 1944년 일제가 전쟁 희생자를 위한 충혼탑을 세운다는 이유로 왕실 무덤을 서삼릉으로 이장하면서 효창 공원이 되었다.

1946년, 김구는 효창 공원에 독립운동가의 묘지를 조성했고 자신의 뜻에 따라 그의 묘소도 이곳에 마련되었다. 백범 기념관도 같은 곳에 있다. 일제에 의해 조선의 역사와 혼이 파헤쳐진 자리가 대한민국 독립운동가들의 혼과 숭고한 정신으로 다시 메워졌다.

지하철 효창공원앞역에서 백범 기념관까지는 도보로 12분 정도 소요된다. 역 1번 출구에서 오른쪽으로 살짝 틀어 6분 정도 직진하다 보면 길 건너에 효창동 주민 센터가 보인다. 거기서 왼쪽 언덕으로 6분 더 올라가면 기념관 입구를 발견할 수 있다. 길목마다 기념관을 안내하는 팻말이 있으니 이를 따라가면 길을 찾기 어렵지 않다. 보도가 넓지 않고 오르막길이 이어지므로 덥거나 추운 날에는 역 2번 출구에서 버스를 타고 이동하는 것이 편할 듯하다.

기념관에 들어서면 정면에 태극기를 배경으로 김구 좌상이 보인다. 전체가 백색이고 크기가 압도적이어서 절로 경건한 마음이 든다.

백법 기념관에 들어서면 백색의 김구 좌상을 만난다. 「나의 소원」이 적힌 족자를 읽기 위해 고개를 들면 절로 경건한 마음이 든다.

좌상을 둘러싼 벽면에는 「나의 소원」이 적힌 족자가 늘어서 있다. 고개를 들어야 그 내용을 읽을 수 있어서 민족과 국가에 대한 김구의 소망과 고결한 마음을 모든 관람객이 우러르는 듯했다.

> 네 소원이 무엇이냐 하고 하나님이 내게 물으시면 나는 서슴지 않고, "내 소원은 대한독립이오." 하고 대답할 것이다. 그다음 소원은 무엇이냐고 하면 나는 또, "우리나라의 독립이오." 할 것이요, 또 그다음 소원은 무엇이냐 하는 세 번째 물음에도 나는 더욱 소리를 높여서, "나의 소원은 우리나라 대한의 완전한 자주독립이오." 하고 대답할 것이다.
>
> –『백범일지』 중

백범 기념관의 전시는 『백범일지』의 내용을 기반으로 한다. 『백범일지』는 김구가 직접 쓴 자서전으로, '일지'란 '알려지지 않은 이야기'라는 뜻이다. 이 일지를 통해 김구의 삶과 임시 정부 활동의 숨은 이야기가 세상에 알려졌다. 『백범일지』 상권은 상하이에서 어린 두 아들에게 삶의 이력을 알려 주고자 유서 대신 쓴 것이고, 하권은 충칭에서 독립에 대한 자신의 견해를 동포들에게 알리고자 쓴 것이다.

전시실 1층은 『백범일지』 상권, 2층은 하권의 내용을 바탕으로 구성되어 있다. 기념관을 방문하기 전에 학생들과 『청소년을 위한 백범일지』를 가볍게나마 훑어보고 가면 좋다. 미리 읽고 관람

해야 이해하기 쉽고 지루함도 덜할 것이다. 또한 작품의 내용이 어떻게 전시로 구현되었는지 살펴보고, 함께 제시되는 여러 사료를 통해 현실이 작품에 어떻게 반영되었는지까지 확인한다면 더욱 유익한 시간을 보낼 것이다.

상민의 아들, 겨레의 스승이 되다

1층은 김구의 유년기부터 대한민국 임시 정부 초기까지의 이야기를 다룬다. 김구는 황해도 해주의 상민 집안에서 태어났고 본명은 김창수였다. 총명하고 학구열이 높았던 그는 어려운 형편에도 배움을 이어 가려 노력했다. 동학에 입도하여 18세의 나이에 수천의 신자들을 이끌었다는 것으로 보아 지도자로서의 면모도 일찍이 갖춘 듯하다.

그는 명성 황후 시해 사건을 계기로 의병으로 활동하며 나라를 위한 투쟁을 시작했다. 어느 날 김구는 의병의 거점을 마련하기 위해 치하포 근처의 한 여관에 머물게 되었는데, 거기서 일본인 1명을 발견하고는 국모의 원수를 갚겠다는 생각으로 그를 죽인다. 죽은 일본인은 일본 장교였고 이 사건으로 김구는 감옥에 갇힌다. 그는 일본인 심문관들을 향해 이렇게 외쳤다고 한다.

> “이놈! 너희는 어찌하여 우리 국모를 살해하였느냐! 내가 살아서는 이 몸을 가지고 죽어서는 귀신이 되어 맹세코 너희 임금을 죽이고 너희 왜놈들을 씨도 없이 다 죽여 우리나라의 치욕을 씻을 것이다!”

전시에서는 이 부분을 성우의 목소리로 재현하여, 당시 김구가 얼마나 결의에 차 있었는지를 생생히 느끼게 해 준다. 일본인들 앞에서 기세등등하게 호통치는 모습에 간수와 경무관까지도 김구를 존경하는 자세로 대했다고 한다. 감옥에서도 김구는 신서적을 읽으면서 세상을 보는 시각을 넓히는 한편, 다른 재소자들에게 글을 가르치기도 했다.

『독립신문』에는 김구가 감옥에 들어온 뒤부터는 감옥이 학교가 되었다는 기사가 실리기도 했는데 전시실에서도 이 기사를 확인할 수 있다.

김구는 치하포 사건으로 교수형에 처할 위기를 맞았지만 이 소식을 듣고도 그의 마음은 조금도 동요하지 않았으며 오히려 슬퍼하는 다른 재소자들을 위로하기까지 했다고 한다. 다행히도 ‘국모의 원수를 갚은 죄’라는 대목을 주의 깊게 본 고종이 사형 집행 중지 명령을 내린 덕에 그는 목숨을 구했다. 전시실에서 모형 전화기로 사형 중지 명령을 직접 들어 볼 수 있다.

교수형에 처할 위기에 있던 김구에게 고종의 사형 집행 중지 명령이 내려진다. 국모의 원수를 갚은 죄였기 때문이다.

1905년 을사늑약 이후 김구의 투쟁은 교육과 계몽 운동으로 이어졌다. 뜻 맞는 이들이 전국으로 흩어져 애국 사상을 북돋고 신교육을 하기 시작했다. 김구는 황해도 양산학교에서 아이들을 가르쳤고 여러 마을을 순회하며 환등회를 열기도 했다. 전시실에 환등회 장면이 모형과 음성으로 실감 나게 재현되어 있다. '한인이 일본을 배척하는 이유'를 주제로 한 환등회 연설은 이렇게 마무리된다.

"교육의 목적은 인재를 양성하여 나라를 잘살게 하고 힘을 키우는 것입니다.…… 여러분 깨어나십시오. 양반도 깨어라, 상놈도 깨어라!"

김구는 신민회 활동에도 참여했다. 신민회는 서간도에 무관 학교를 설립하기 위해 자금을 모으던 중이었는데, 이 활동이 발각되어 관련자들이 모두 체포되었다. 김구 역시 투옥되어 여러 차례 모진 고문을 받았다. 그런 상황에서도 그는 "내 생명은 빼앗을 수 있지만 내 정신은 빼앗지 못한다."라며 동지들을 북돋았다.

김구는 투옥 당시 자신의 호를 백범(白凡)으로 고쳤다. 백정과 같은 가장 아래층의 사람과 범부(凡夫)와 같은 평범한 사람도 자신만큼 애국심을 지닌 완전한 독립 국민이 되기를 바라는 마음이 담겼다.

조국 독립을 위한 그의 투쟁 과정에는 가족의 든든한 지원이 있었다. 김구의 어머니는 감옥에 있는 그를 면회하면서 "나는 네가 경기 감사가 된 것보다도 더 기쁘게 생각한다."라고 했으며, 7살도 안 된 어린 딸은 죽음을 앞둔 상황에서 "나 죽었다고 옥에 계신 아버지께 기별 마십시오. 아버지가 들으시면 오죽이나 마음이 상하겠소." 했다고 한다.

어쩌면 김구는 어머니를 고생시키는 불효자이며 자녀 양육에 소홀한 무책임한 아버지였을지도 모른다. 김구의 위대한 삶은 김구 자신은 물론 그 가족의 희생이 있어 가능했을 것이다. 전시장 한편에 마련된 김구의 가족 이야기를 보고, 숨은 영웅들의 희생적인 삶을 생각하며 숙연해졌다.

임시 정부의 기둥,
스러진 별이 되다

2층 전시실은 임시 정부 초기부터 김구가 생을 마감할 때까지의 이야기를 다룬다. 1919년 3·1 운동으로 국내 활동이 어려워지자 김구는 상하이로 건너갔다. 그는 상하이 임시 정부를 찾아가 임시 정부의 문지기가 되기를 청했으나 안창호는 그에게 경무국장 자리를 주었다. 이후로 김구는 임시 정부의 여러 요직을 두루 거쳤는데, 『백범일지』에서는 이것이 임시 정부의 인재난과 경제난이 극에 달했기 때문이라고 설명한다.

당시 임시 정부의 경제 사정은 실로 어려워서 김구는 청사에서 잠을 자고 동포들의 집에서 밥을 얻어먹으며 지낼 정도였다. 그런 상황에서도 그는 상하이에 있던 14년 동안 매년 크리스마스마다 프랑스 영사와 공무국에 선물을 보내 대한민국 임시 정부의 존재를 알렸다. 해외 동포들에게도 임시 정부의 사정을 알리는 편지를 주기적으로 보내며 임시 정부를 지키려고 노력했다.

한편, 김구는 내부 분열과 자금난으로 침체되어 있던 독립운동을 부활시키기 위해 1931년에 한인 애국단을 창설했다. 한인 애국단의 주요 활동은 일본 요인을 암살하는 것이었는데, 이봉창과 윤봉길의 의거도 이에 해당한다. 전시되어 있는 두 의사의 한인 애국단 입단 선서문과 김구에게 보낸 편지를 보며 관련 일화가 떠올랐다. 의거를 앞두고 기념사진을 찍던 이봉창은 김구의 어두운 얼굴을 보고, 자신은 '영원한 즐거움'을 맛보고자 길을 떠나는 것이므로 기쁜 낯빛으로 사진을 찍자고 말했다. 이봉창 의사 하면 떠오르는 사진 속 미소는 그렇게 기록되었다.

중일 전쟁의 영향으로 임시 정부는 중국 여러 지역을 전전하다 1940년, 충칭에 자리 잡았다. 전시실에는 충칭 청사의 내부를 가상으로 체험하는 공간이 있는데 이곳에서 사방을 둘러싼 영상으로 청사의 각 공간을 둘러볼 수 있다. 넓지 않은 방에 가지런히 놓인 의자 위에 어려운 상황에서도 흐트러짐 없는 모습으로 독립운동에 임한 김구의 모습이 겹쳐 보였다.

김구는 한국광복군을 조직하고 국내 진압 작전을 추진했으나 일본의 항복으로 실행에 옮기지 못하고 조국으로 돌아왔다. 그 후에는 남북한 통일 정부 수립을 위해 애쓰다가 1946년, 경교장에서 안두희의 흉탄에 맞고는 뜻을 이루지 못한 채 쓰러지고 말았다.

2층 전시실에는 김구를 추모하는 공간이 따로 있다. 이곳의 창밖으로 김구의 묘를 볼 수 있는데 기념관의 백미라 해도 과언이 아니다. 묘소를 보며 독립운동가로서의 김구, 그리고 한 인간으로서의 김구의 삶에 대해 생각했다. 국가를 위해 개인적 삶을 철저히 다 바친 사람. 자식들이 자라는 모습을 제대로 지켜보지도 못하고 유서를 대신해 『백범일지』를 쓴 김구. 끝까지 조국을 위해 살다가 결국 같은 민족의 손에 목숨을 잃은 그의 삶이 너무도 가엾게 느껴졌다.

김구의 묘에서 독립운동가뿐만 아니라 한 인간으로서의 김구의 삶에 대해 생각해 보았다.

전시실에는 『백범일지』와 관련된 공간도 따로 마련되어 있다. 『백범일지』를 통해 김구의 생애와 사상, 독립운동과 임시 정부의 역사가 널리 알려졌다. 『백범일지』는 김구 개인의 삶을 담은 기록을 넘어서서 독립운동을 포함한 한국 근현대사를 아우르는 역사서로서의 가치도 지니고 있다. 우리는 『백범일지』를 통해 당대의 사회·문화적 상황을 엿볼 수 있고 김구의 사상과 희생적인 삶의 모습에서 큰 울림을 받을 수 있다.

기념관에서 나와 왼편으로 7분 정도 걷다 보면 김구의 묘에 다다른다. 묘지 주변을 둘러싼 소나무와 무궁화가 그의 애국심과 절개를 상징하는 듯했다.

조금 더 걷다 보면 삼의사의 묘가 나온다. 이봉창, 윤봉길, 백

한인 애국단 시절에 함께 독립을 위해 자신을 바치기로 결심한 동료들이 김구 묘소 옆에 모였다. 아직 유해를 찾지 못한 안중근의 가묘와 함께 이봉창, 윤봉길, 백정기 의사의 묘가 나란히 자리한다.

정기 의사의 묘이다. 그곳에 하나의 봉분이 더 있는데 아직 유해를 찾지 못한 안중근 의사의 가묘이다. 텅 빈 그 묘를 보고 있자니 마음이 쓸쓸하고 아렸다.

역으로 돌아가는 길에 「나의 소원」의 한 구절이 다시 떠올랐다.

> 나는 우리나라가 세계에 가장 아름다운 나라가 되기를 원한다. 가장 부강한 나라가 되기를 원하는 것은 아니다. 내가 남의 침략에 가슴이 아팠으니 내 나라가 남을 침략하는 것을 원치 아니한다. 우리의 부력은 우리의 생활을 풍족히 할 만하고 우리의 강력은 남의 침략을 막을 만하면 족하다. 오직 한없이 가지고 싶은 것은 높은 문화의 힘이다.
>
> –『백범일지』 중

김구의 소망은 얼마나 실현되었을까. 우리는 높은 문화의 힘을 지닌 대한민국의 모습을 상상해 보고, 우리가 실천할 수 있는 일을 구체적으로 고민하며 답사를 마무리했다.

학생들과 함께 떠나기 좋은 답사 코스

김구의 생애와 격동의 근대사 기록이 고스란히 담긴 『백범일지』의 내용을 직접 보고 듣고 느낄 수 있는 코스이다. 백범 김구 기념관에서 시작해 삼의사의 묘를 둘러보며 각각에 담긴 의미를 생각해 보자.

난도: ★★
추천 계절: 봄, 가을
만남의 장소: 지하철 6호선 효창공원앞역

01 김창수에서 김구로, 백범 김구 기념관 1층

김구의 생애를 근현대사의 주요 사건과 함께 연보 형태로 제시하고, 김구의 유년 시절과 그를 세상에 알린 치하포 의거, 구국 운동 등에 관해 설명한다. 호 '백범'이 의미하는 바도 찾아볼 수 있다.

도보 1분 ▸▸

02 자주독립을 위한 투쟁의 기록, 백범 김구 기념관 2층

대한민국 임시 정부 충칭 청사를 가상으로 체험해 볼 수 있는 흥미로운 전시가 있다. 2층 전시실 코너에 있는 추모 공간에서는 창을 통해 김구의 묘소를 볼 수 있다. 기념관에서 가장 울림이 큰 장소이니 학생들과 함께 추모하는 시간을 보내 보기를 권한다.

도보 7분 ▸▸

03 소나무와 무궁화가 둘러싼 김구의 묘

김구의 묘를 가까이에서 보면 그 웅장함에 '겨레의 큰 스승'이라는 수식어가 새삼 떠오른다. 묘역으로 이어지는 길 양옆에 늘어선 무궁화는 그의 절개와 나라의 의미를 깊이 생각하게 한다.

도보 5분 ▸▸

04 독립을 위해 모든 것을 바친 애국선열 묘역, 삼의사의 묘

독립운동에 모든 것을 바친 이봉창, 윤봉길, 백정기 세 의사의 묘와 안중근 의사의 가묘가 마련되어 있는 삼의사 묘. 『백범일지』에 기록된 김구와의 일화들을 떠올린다면 더욱 의미 있는 답사가 될 것이다.

도보 5분 ▸▸

01

02

04

한 학기 한 권 읽기 추천 도서&추천 콘텐츠

■■『청소년을 위한 백범일지』(김구, 나남)

『백범일지』를 처음 접하는 중학생들에게 『백범일지』 원작을 읽는 것은 어려울 수 있다. 그러므로 쉽게 풀어 쓴 『청소년을 위한 백범일지』로 시작하는 것을 추천한다. 원작과 다르게 상·하권으로 나뉘어 있지는 않지만 장별로 모든 내용이 충실하게 담겨 있다. 책을 읽은 후 답사를 진행하면 책의 내용이 어떻게 전시로 구현되어 있는지 등 더욱 재미있는 관람 포인트를 발견할 수 있을 것이다.

■■영화 「대장 김창수」

『백범일지』에 기록된 치하포 의거와 그에 따른 재판의 과정, 김구가 감옥에서 다른 죄수들에게 글을 가르친 일, 글을 배운 죄수들이 쓴 탄원서 덕에 고종이 사형 집행을 중지하는 순간까지, 극적인 사건들을 영화화한 작품이다. 치하포 의거와 그 직후의 상황을 더욱 자세하고 흥미롭게 접하는 계기가 될 것이다.

■■『하얼빈』(김훈, 문학동네)

안중근 의사의 하얼빈 의거와 그 후 재판 과정을 다룬 역사 소설이다. 독립운동가로서의 안중근뿐 아니라 인간 안중근의 모습까지 상상해 볼 수 있다. 단순한 역사적 사건의 나열에 그치지 않고 작가의 상상력이 더해져 공감을 자아내는 소설로, 문학의 힘과 가치를 느낄 수 있다.

■■영화 「영웅」

『백범일지』뿐 아니라 안중근 의사에 대해서도 학습한 후 답사를 진행하면 효창 공원에 마련된 안중근 의사 가묘의 의미에 더욱 깊이 공감할 수 있을 것이다. 이 영화는 안중근의 마지막 1년을 다룬 동명의 뮤지컬을 영화화한 작품이다. 실제 안중근의 삶에 가상의 인물들이 더해져 더욱 몰입하여 볼 수 있는 뮤지컬 영화이다. 협력 종합 예술 활동과 교과 융합 수업 등의 자료로도 활용할 수 있다.

1920년대의 경성,

2024년의 서울

강애라(숭곡중학교)·기정아(미사강변중학교)·김정숙(마곡중학교)·김희라(경희여자중학교)·송경영(사당중학교)·임피어라(염창중학교)

운수 좋은 어느 하루, 김 첨지의 길을 따라

혜화문 → 낙산 공원 → 이화 마을 → 대학로 → 창경궁 → 인사동

1920년대 경성에는 노동자가 인구의 30퍼센트를 차지할 정도로 많았고, 움집 같은 토막을 짓고 하루하루 근근이 살았다. 하층민의 고단한 삶을 표현한 현진건의 「운수 좋은 날」에서 김 첨지가 인력거를 몰고 다닌 길을 따라가 보니 현재 서울의 그곳들은 모두 문화의 거리가 되어 있었다. 토막집들은 멋진 카페로, 노동자들이 목을 축이던 선술집은 관광객이 복작거리는 음식점으로 바뀌었다. 대학로는 젊음의 거리로 활기를 띠고 일제가 동물원과 식물원으로 꾸몄던 창경원은 창경궁으로 복원되어 과거와 현재를 잇는다. 학생들과 함께 1920년대 경성의 흔적을 따라가 보고 지금의 서울을 즐겨 보자.

#현진건 #운수 좋은 날 #윤선도 #김상옥

「운수 좋은 날」의 주인공 인력거꾼 김 첨지는 경성 동소문 안에 살았다. 우리는 김 첨지가 인력거를 끌고 달린 길을 따라 서울을 여행했다. 김 첨지는 동소문 안에서 출발해 전찻길에 나갔다가 동광학교를 거쳐 남대문 정거장까지 간다. 인사동에 들렀다가 창경원을 지나 아내와 아이가 기다리는 집으로 돌아가던 길은 100여 년의 세월이 지나는 동안 길과 장소가 사라지고 생기면서 지도가 바뀌었다. 지금의 지도로는 혜화문을 출발해 김 첨지가 살았을 법한 낙산 주변 성곽 마을을 둘러보고 대학로를 거쳐 창경궁에 들렀다가 인사동까지 이르는 길이다. 김 첨지가 빗길을 달려간 남대문 정거장까지 다녀오기에는 거리가 너무 멀어서 이번 답사에서는 제외했다.

한양 도성 동소문에서 하루 일을 시작하던 인력거꾼 김 첨지

> 새침하게 흐린 품이 눈이 올 듯하더니, 눈은 아니 오고 얼다가 만 비가 추적추적 내리는 날이었다. 이날이야말로 동소문 안에서 인력거꾼 노릇을 하는 김 첨지에게는 오래간만에도 닥친 운수 좋은 날이었다.
>
> –「운수 좋은 날」 중

김 첨지의 일터이자 삶의 터전인 동소문에서부터 우리 답사를 시작했다. 「운수 좋은 날」 김 첨지의 하루와 달리 하늘이 높고 푸른 아주 맑은 가을날이었다. 동소문은 혜화문의 다른 이름으로 한양 도성의 낙산 구간이 시작되는 곳이기도 하다. 지하철 4호선 한성대입구역 5번 출구로 나와 돌아 걸으면 창경궁로 오른쪽에 혜화문으로 오르는 골목이 보인다.

혜화문에 올라 전차가 지나다니고 김 첨지가 인력거를 끌고 다녔을 1920년대 시가지의 모습을 상상해 보았다. 맞은편 낙산 성곽을 빼고는 전찻길과 옛 시가지의 흔적을 찾기는 쉽지 않았다. 김 첨지가 전차 정거장에서 인력거를 대기하고 있으면 온갖 사람들을 다 만날 수 있었던 경성의 복잡한 도심 풍경과는 달리 주말의 이른 아침 혜화문 주변은 차분하기만 했다. 혜화문에서 도로 쪽으로 난 좁고 살짝 가파른 계단으로 내려오면 넓은 창경궁로 맞은편에 낙산 성곽 길이 보인다.

길을 건너 초록색 계단을 오르면 오른편으로 성곽이 부드러운 곡선을 이루며 길게 뻗어 있다. 도성의 암문을 통해 성안으로 들어서면 낙산 공원 전망대에 오를 수 있다. 깨끗한 대기 덕분에 북악산, 남산, 인왕산으로 둘러싸인 옛 수도 한양, 지금의 서울 시내를 한눈에 담을 수 있었다.

낙산 일대는 풍광이 좋아 조선 시대에는 부자나 관리들이 이곳에서 풍류를 즐겼다고 한다. 그런데 일제 강점기 이후 도성 안에서 살기가 힘들어진 가난한 사람들이 낙산 주변으로 모여들며 산꼭대기까지 움막과 판잣집이 들어섰다. 광복 이후에도 어려운 사람들이 삶의 터전을 찾아 모였는데, 좁은 골목길에 오밀조밀 밀집된 집들이 지금의 성곽 마을로 남았다.

소설에서 일하러 집을 나선 김 첨지는 문안에 들어간다는 앞집 마나님을 전찻길까지 태워 주는데 이를 보면 김 첨지가 문안의 변두리에 살고 있었겠구나 싶다. 그렇다면 성곽 가까이에 형성된 마을 어딘가에 김 첨지의 집이 있지 않았을까?

「운수 좋은 날」은 1920년대 사실주의 문학의 대표작으로, 당시 조선의 빈민층들이 얼마나 비참하게 살았는지 생생하게 보여준다. 먹고살아야 하는 현실 때문에 위독한 아내를 두고 비 오는 날에도 일하러 나갈 수밖에 없었던 김 첨지. 그가 느꼈을 현실의 무게에 대해 지금 학생들이 공감할 수 있을지 이야기 나누어 보아도 좋을 것이다.

낙산 공원에서 이화 마을 쪽으로 내려오면 마을 초입부터 꽃 벽화가 그려져 있다. 이화 마을은 벽화로 유명하다. 성곽과 가까이 붙어 있어 재개발이 쉽지 않은 이곳의 골목길과 계단에 도시 재생 프로젝트로 벽화가 그려졌다. 일제 강점기 이후 움막과 판잣집이 모여 있던 성곽 마을은 가난의 이미지를 벗고 문화와 예술의 감성이 넘치는 마을로 모습을 바꾸었다.

가파른 언덕이지만 주변 경관이 한눈에 보이는 탁 트인 전망과 2~3명이 겨우 걸을 정도로 좁고 구불구불 이어지는 골목길, 계단 사이사이의 감각적인 벽화와 주변과 잘 어우러지는 조형물,

김 첨지의 집이 있었을 것 같은 낙산 일대 성곽 마을은 가난한 이들의 삶의 터전이 된 곳이었다. 지금은 문화와 예술의 감성이 넘치는 벽화 마을로 바뀌었다.

이웃의 화단이 보일 정도로 담장이 야트막한 오밀조밀한 주택들은 세련되고 화려한 고층의 도시에서는 느끼기 어려운 소박하고 정겨운 멋을 간직하고 있다. 성곽 길과 성곽 마을이 주는 아름다움에 마음을 빼앗겨 느긋하게 걷다 보면 어느새 마로니에 공원이 가까워진다. 혜화문부터 낙산 공원을 거쳐 이화 마을까지 내려오는 데는 천천히 걸어 1시간 정도 걸린다.

문화의 거리,
마로니에 공원과 대학로

언덕을 내려오자 경쾌한 음악 소리와 함께 사람들의 웃음소리가 먼저 우릴 반겼다. 활기 넘치는 문화의 거리, 마로니에 공원과 대학로이다. 지금은 문화 예술 공간으로 잘 알려져 있지만 이곳에서 여러 역사적 사건이 일어났다는 것을 공원과 거리 곳곳에서 살펴볼 수 있다. 먼저 마로니에 공원에는 조선 시대 문인이자 시인으로 유명한 고산 윤선도의 생가가 있었다는 석비가 있다. 이곳에는 「오우가」가 새겨져 있다. 「오우가」는 윤선도가 해남에서 은거하며 지은 대표작으로 우리말의 아름다움을 잘 표현한 시조이다.

일제 강점기로 넘어오면서 이 거리도 격변을 겪었다. 마로니에 공원에 세워진 '김상옥 열사의 상'은 그 험난한 시절을 기록한다. 김상옥 열사는 당시 일제 경찰의 중심이자 독립운동가 검거와 탄압에 앞장섰던 종로 경찰서에 폭탄을 던지고 일본 경찰과 대치하다 자결해 순국한 인물이다. 1924년에는 이곳에 경성제국대학이 설립되면서 서양식 가옥이 섞이고 학생과 중산층이 늘어나며 문화촌이 형성되었다. 경성제국대학에 마로니에가 세 그루 있었던 것에서 유래해 '마로니에 공원'이라는 이름이 붙었다. 마로니에 공원 오른편으로는 눈에 띄는 벽돌 건물이 있다. 이곳은 경성제국대학 본관이었다가 광복 이후 서울대학교 본관으로 사용되었으며 현재는 '예술가의 집'으로 활용되고 있다.

마로니에 공원이 조성되면서 대학로는 크게 변모했다. 문화 단체와 극장들이 모여들기 시작하고 연극, 영화, 뮤지컬, 음악, 넌

마로니에 공원은 얼핏 보면 문화 예술 공간 같지만 여러 역사적 사건이 어려 있는 곳이다. 공원 곳곳에서 그 흔적을 찾을 수 있다.

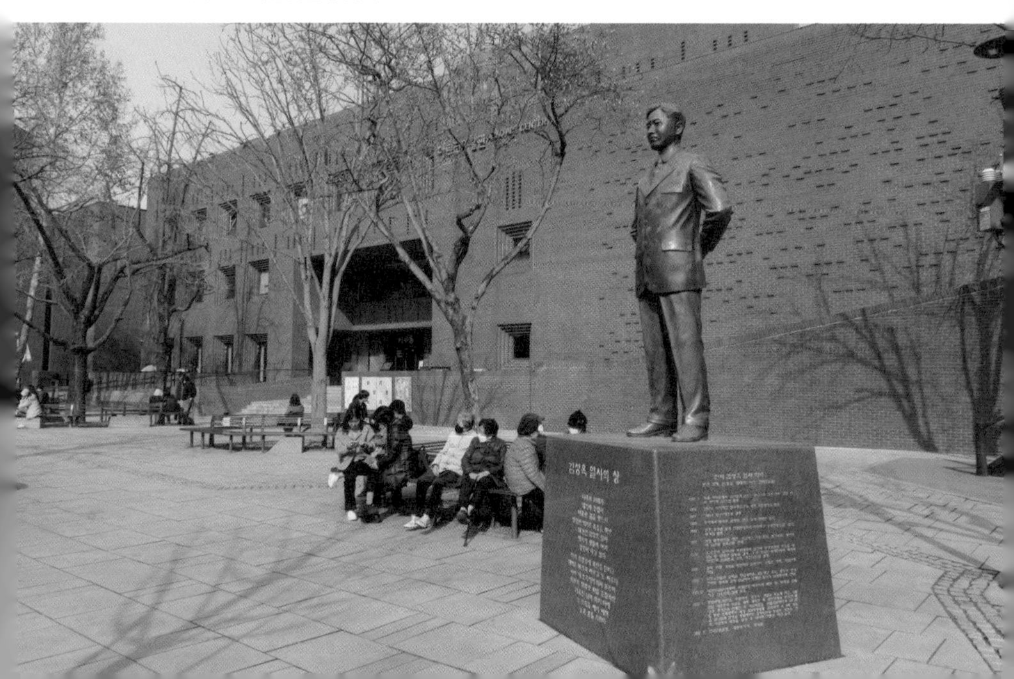

버벌 등의 쇼케이스 공연이 다채롭게 펼쳐지는 종합 문화 예술 공간으로 발전했다. 김 첨지가 인력거를 끌고 지나치던 1920년대의 이 거리를 상상해 보고 생기 넘치는 현재의 이곳을 비교해 보며 잠시 쉬다 가도 좋을 것이다.

김 첨지가 불행을 예감하고 술을 마신 창경원

「운수 좋은 날」의 주인공 김 첨지의 직업은 인력거꾼이다. 인력거는 자전거 바퀴처럼 생긴 2개의 바퀴 위에 사람이 앉을 자리를 만들고 포장을 씌운 대중교통 수단이었는데 1920년대 서울에만 1,800여 대의 인력거가 있었다고 한다. 하지만 차츰 전차와 택시에 밀려 벌이가 줄어들었고 여름에는 더위, 겨울에는 칼바람 속에서 뛰어야 했던 인력거꾼의 처지는 최하층민이었다.

김 첨지는 인력거가 무거워지면 몸이 가벼워지는 것 같고, 인력거가 가벼워지면 몸이 무거워진다고 느끼는데 아마도 집에 두고 온 아내가 눈에 밟혀서일 것이다. 그러면서도 창경원 앞에 다다라 집이 가까워질수록 발걸음을 늦춘다. 창경원 근처 길가 선술집에서 치삼이라는 친구와 무려 1원어치의 술과 음식도 먹어치운다. 자신에게 닥칠 불행을 예감하며 아내가 죽었다고 하다가 살았다고 하다가 횡설수설하는 김 첨지의 모습 속에 불행과 어떻게든 맞닥뜨리고 싶지 않아 발버둥치지만 빈곤의 굴레 속에 들어갈 수밖에 없는 하층민의 삶이 녹아 있다.

소설에 등장하는 창경원은 원래 조선의 5대 궁궐 중 하나인 창경궁이었다. 일제는 조선의 권위를 무너뜨리고자 창경궁에 일본인들이 좋아하는 벚꽃을 심고 온갖 동물을 들여 구경거리를 제공하는 창경원으로 전락시켰다. 독립 후 1980년대부터 옛 궁궐로 복원을 시작해 이제는 다시 창경궁을 만날 수 있다.

마로니에 공원을 거쳐 창경궁까지는 도보로 20분 정도 소요된다. 서울대 병원 맞은편 홍화문으로 들어가 옥천교를 지나서 우리나라 궁궐의 정전 중 가장 오래되어 국보로 지정된 명정전까지 걸어가 보자. 창경궁 안에는 기이하고 웅장한 나무들이 잘 가꾸어져 있어서 잠시 쉬다 가기에도 좋다. 소설이 쓰인 당시 창경원의 아픈 역사를 학생들과 함께 이야기해 보고 창경원에 가까워질수록 마음이 무거워져 집에 들어가기 싫어했던 김 첨지의 심리에 대해서도 이야기 나누어 보자. 반어적으로 쓰인 제목의 의미도 톺아볼 수 있을 것이다.

김 첨지가 마지막 손님을 내려 준 인사동

창경궁을 나와 천천히 걸어 인사동에 도착했다. 인사동은 역사적 명소임은 물론 3·1 운동의 발원이 된 곳이다. 「운수 좋은 날」의 김 첨지가 마지막 손님을 태워다 준 곳이기도 하다. 흐리고 비가 추적추적 내리는, 이상하게 운수 좋던 날의 고달픈 노동은 인사동에 손님을 내려 주고서 끝을 맺는다. 일제 강점기의 현실은 김 첨지 같은 하층민에게 더욱 무거운 가난과 고통을 주었다. 뼈가 빠지게 노동을 해도 입에 풀칠조차 못하는 하층민 김 첨지. 1920년대 식민지 현실에서 억압받던 우리 민족의 애환과 울분을 그의 모습에서 엿볼 수 있다.

실제로 현진건은 『동아일보』 사회부장으로 근무하던 1936년, 베를린 올림픽에서 메달을 딴 손기정 선수의 일장기 말소 기사를 보도했다는 이유로 조선 총독부 검열을 받아 감옥살이를 했다. 이후 기자직에서 물러난 그는 종로 부암동 집에서 닭을 키우고 글을 쓰면서 가난 속에 생계를 이어 갔다. 근근이 쓰던 장편소설 「흑치상지」의 연재마저 일제에 의해 중단되고 울화와 분노를 술로 달래던 그는 결국 1943년에 숨을 거두었다.

식민지 시대에 끝까지 일제에 대한 분노와 애국정신을 잃지 않은 현진건을 생각하며 인사동을 돌아보는 것은 의미 있는 일이다. 독립운동의 흔적이 가득한 곳이라, 그가 살던 시대와 아주 밀접한 관련이 있기 때문이다. 먼저 조계사 쪽으로 길을 건너본다. 조선 말기 우체 업무를 담당하던 우정총국 뒤편에서 보성사 터 표석을 찾아볼 수 있다. 보성사는 3·1 운동 당시 기미 독립 선언서를 극비리에 인쇄한 곳이다. 다시 조계사 건너편으로 돌아오면 120년

오랫동안 서울의 심장부였던 인사동은 전통과 현대가 공존하는 곳이다. 차 없는 거리에는 관광객들이 가득하다.

이나 된, 우리나라에서 가장 오래된 음식점, 이문설농탕집이 있다. 김 첨지 아내가 그토록 먹고 싶었던 설렁탕을 생각하면, 간판을 구경하는 것만으로도 의미 있는 답사 코스가 될 것이다. 2분 거리에는 민족 대표 33인이 독립 선언을 한 태화관 터가 있다.

문학 기행의 끄트머리에 인사동 쌈지길을 둘러보는 것은 100년 전 서울 한복판의 김 첨지를 만나러 시간 여행을 한 이들에게 즐거운 휴식의 시간이 될 것이다. 자유 시간을 보내면서 김 첨지와 그 아내가 지금 이곳에 온다면 과연 어떤 마음일지 상상해 보자.

학생들과 함께 떠나기 좋은 답사 코스

난도: ★★ 추천 계절: 봄, 가을 만남의 장소: 지하철 4호선 한성대입구역

01 김 첨지의 일터 혜화문

한양 도성 사소문 중 동소문의 다른 이름이다. 처음에는 문 이름을 홍화문으로 하였다가 성종 때 지은 창경궁의 동문의 이름과 같아서 중종 때 혜화로 고쳤다. 조선 시대에는 한성에서 강원도와 함경도 지방으로 오가는 문이었다. 일제 강점기 때 전찻길 건설로 헐렸다가 1992년부터 1994년까지 복원 공사로 다시 지었다. 헐어 낼 당시와 복원 당시의 지형이 달라졌으므로 지금 위치는 원래 자리에서 10미터 정도 옮겨지었다.

도보 5분 ▸▸

02 가난한 이들의 삶의 터전 낙산 성곽

낙산은 한양의 내사산 중 동쪽을 지키는 산으로 지형이 낙타를 닮아 낙타산으로 불렸다. 해발 125미터로 내사산(백악산, 인왕산, 낙산, 목멱산) 중 가장 낮은 산이다. 동소문 혜화문에서 출발하여 동대문 흥인지문에 이르는 성곽을 따라 걷다보면 성 안과 성 밖을 모두 볼 수 있다. 한양 도성에는 사대문과 사소문 말고도 비밀 통로 같은 암문이 있는데 낙산 성곽에서 만나는 암문을 통해 성 안팎을 오가는 재미를 맛볼 수 있다.

도보 20분 ▸▸

03 문화와 예술의 감성이 넘치는 이화 마을

낙산 성곽 안에 있는 마을이다. 이곳에 조선 시대 김일손이 살던 이화정이 있었는데 봄이면 배꽃이 하얗게 피어났다고 한다. 지금은 초대 대통령 이승만이 살던 이화장이 있는 마을로 알려져 있다. 2000년대 들어 벌인 도시 예술 캠페인의 결과로 담장과 계단 등 마을 곳곳에서 다양한 그림과 예술 조형물을 볼 수 있다. 아기자기한 카페와 공방이 늘어서 있어 구경거리가 많지만 거주하는 주민들을 위해 지나친 소음이나 소란을 삼가야 한다.

도보 10분 ▸▸

04 문화와 역사의 거리 마로니에 공원

이화 마을이 있는 이화동과 대학로 사이에 있는 공원이다. 서울대학교 문리대와 법대가 있던 자리로 관악 캠퍼스로 옮기고 난 뒤 공원으로 바뀌었다. 마로니에가 심어진 공원으로 알려졌는데 실제로는 가시칠엽수인 마로니에보다 일본산 칠엽수가 더 많다. 이 공원 주변에는 문예 회관 대극장과 소극장을 비롯해 바탕골소극장, 연우무대, 학전 같은 문화 시설이 많고 아마추어 가수들의 신선한 노래를 들을 수 있는 야외무대가 공원 안에 있어 다리를 쉬면서 눈과 귀를 즐길 수 있다.

도보 15분 ▸▸

05 김 첨지가 친구와 애환을 달래던 곳 창경궁

세종에게 왕위를 물려준 태종이 창덕궁 옆에 거처하던 곳이다. 성종 대에 이르러 대비 세 사람을 위해 수강궁을 증축하고 이름을 창경궁이라 하였다. 일제 강점기에 일제가 강제로 창경궁 내부 궁문과 담장, 전각들을 헐고 일본식 건물과 동물원과 식물원을 세우고 유원지로 만들었다. 1980년대 이후 복원에 나서 명칭을 되찾았고 동물원과 식물원 관련 시설과 일본식 건물을 철거하고 옛 모습을 찾아가고 있다.

도보 25분 ▸▸

06 전통과 현대가 공존하는 인사동

서울의 대표적인 문화 예술 거리로 고미술품 상가와 고서점, 화랑, 문화·예술인들의 카페, 기념품 가게 등이 한꺼번에 몰려 있는 전통문화 거리다. 조선시대에는 경복궁과 창덕궁 사이의 도심으로 관공서와 양반 저택, 시장이 들어서 있었다. 3·1 운동 당시 민족 대표 33인이 3·1 독립 선언서를 낭독한 장소인 태화관 말고도 탑골 공원, 천도교 중앙 대교당, 승동교회 등 3·1 운동의 자취가 많이 남아 있다.

대중교통 25분 ▸▸

한 학기 한 권 읽기 추천 도서&추천 콘텐츠

■■ 『현진건을 읽다』(전국 국어 교사 모임, 휴머니스트)

현진건의 대표 단편 작품 5편을 싣고, 그의 삶과 문학 세계를 소개한다. 작품의 시대적 배경, 구성상의 특징, 소설을 이해하는 데 필요한 설명을 통해 현진건 작품이 지닌 매력을 살펴볼 수 있다.

■■ 『서울 이야기』(김남일, 학고재)

근대 문학의 흔적을 따라 서울 길을 안내하는 책이다. 비슷한 책이 많지만 소설가인 저자가 문학 작품을 재해석하여 작품 속 사람들의 이야기가 되살아나는 듯한 매력이 있다.

■■ 『나의 문화유산답사기 11』(유홍준, 창비)

유홍준 교수의 서울편 시리즈 3권이다. 일제 강점기부터 해방 후, 6·25 전쟁 후, 현재에 이르기까지 오로지 인사동을 주인공으로 한, 숱한 역사와 변천의 이야기가 담겨 있다.

■■ 애니메이션 「메밀꽃, 운수 좋은 날 그리고 봄봄」

인력거꾼 김 첨지의 하루 동안의 일을 그린 작품이다. 아픈 아내를 집에 두고 나와 계속되는 작은 행운에 기뻐하다가도 결국 아내의 죽음에 무너지는 김 첨지의 비극을 사실적으로 그려 내었다.

■■ 『선생님과 함께 읽는 운수 좋은 날』(전국 국어 교사 모임, 휴머니스트)

소설을 읽고 학생들이 궁금해할 만한 질문에 선생님들이 답변을 마련하여 소설 속 인물, 사건, 배경을 깊이 이해할 수 있도록 돕는다.

흐르지 않는 소녀의 시간

김성아(화계중학교)·민지선(구룡중학교)·서한솔(화계중학교)
이시현(당곡중학교)·전도현(양재고등학교)

일본군 '위안부' 피해자의 상처를 어림하는 길

대한민국 역사 박물관 → 평화의 소녀상 → 일본군 '위안부' 기억의 터

해가 뜨기 전 새벽이 가장 어둡다는 말이 있다. 1945년 8월 15일 광복을 맞이하기 전까지 35년간의 일제 강점기가 얼마나 참담했을지 후대를 살아가는 우리는 그저 짐작만 할 뿐이다. 그러나 여전히 일제 강점기 시절의 생생한 기억과 아물지 않은 상처 위에서 피어나는 꽃들이 있다. 그 어두웠던 시절을 몸소 겪어 낸 역사의 증인들이 피워 내는 꽃, 물망초. 10대 시절에 멈추어 버린 그들의 시간을 흐르게 하고 못다 핀 꽃망울을 피워 내려면 어떻게 해야 할까. 어쩌면 "나를 잊지 마세요."라는 물망초의 꽃말이 길을 알려 줄지도 모른다.

#일제 강점기 #일본군 '위안부' #푸른 늑대의 파수꾼 #평화의 소녀상

너무 아픈 사랑은 사랑이 아니었다고 말한 어느 대중가요의 노랫말처럼, 너무 아픈 역사는 우리의 역사가 아닌 듯 기억 저편에 묻어 두고 싶을 때가 있다. 하지만 그런 시간에 작별을 고하며, 우리는 용기를 내어 일제 강점기의 상흔을 마주하고자 한자리에 모였다.

우리는 8월 15일, 그 옛날 광복의 기쁨이 넘실댔을 광복절 당일에 모였다. 광복절은 참으로 기쁜 날이지만, 광복에 이르기까지 어떠한 고난과 역경이 있었는지 떠오른다는 점에서 마음이 무거워지는 날이기도 하다.

사실 우리는 광복절 하루 전날, 그러니까 8월 14일에 답사를 떠나면 어떨지 고민했었다. 답사를 계획하는 과정에서 8월 14일이 일본군 '위안부' 피해자 기림의 날이라는 사실을 알았기 때문이다. 2017년에 정부가 지정한 법정 기념일을 잘 몰랐다는 사실 자체가 일본군 '위안부' 피해자에 대한 우리의 방관을 드러내는 듯했다. 개학일과 겹쳐 14일 당일에 답사를 진행하는 것은 결국 무산되었지만, 이 일을 계기로 답사에 임하는 마음가짐이 더욱 진지해졌다.

그렇게 일본군 '위안부' 피해자들이 겪었던, 아니 지금도 겪고 있는 현재 진행형의 역사를 제대로 바라보기 위해서 답사 경로를 다듬고 다양한 책과 영화를 살펴보며 답사를 준비했다. 너무 아픈 역사도 우리의 역사임을 잊지 않으려 애쓰면서 말이다.

특별한 시간 여행,
일제 강점기 소녀의 삶으로

첫 목적지는 대한민국 역사 박물관이었다. 지하철 1호선 종각역, 3호선 경복궁역 혹은 안국역, 5호선 광화문역 중 어디에 내리든 걸어서 갈 수 있다.

대한민국 역사 박물관을 견학하기에 앞서 학생들과 함께 읽으면 좋은 책 한 권을 추천하고 싶다. 김은진의 청소년 소설 『푸른 늑대의 파수꾼』인데, '햇귀'라는 중학생 남자아이가 벽장을 통해 일제 강점기로 시간 여행을 하면서 10대 소녀 '수인'을 만나는 이야기를 담았다. 우리의 고정 관념 속 일본군 '위안부' 피해자의 모습에서 벗어나, 일제 강점기를 살아간 꿈 많은 10대 소녀를 만날 수 있게 해 주는 책이다.

대한민국 역사 박물관을 관람하면서 학생들은 『푸른 늑대의 파수꾼』 속 '수인'의 삶 속으로 특별한 시간 여행을 떠날 수 있다. 일제 강점기의 사회·문화적 배경지식뿐만 아니라, 자신의 나이와 비슷했을 그 시절의 평범한 10대들이 겪어야 했던 아픔을 마음속 깊이 새기면서 말이다.

대한민국 역사 박물관 5층으로 올라가면, 상설 전시가 진행되는 '역사관'이 있다. 역사관은 대한민국의 근현대사를 크게 3부로 나누어 역사적 사실과 그와 관련된 유물을 전시한다. 우리의 주된 관심사는 1894년부터 1945년까지의 시대상을 담고 있는

1부 전시였다. 이곳을 관람하며 우리는 저마다 『푸른 늑대의 파수꾼』 속 수인의 삶을 마주하게 되었다.

먼저 '신문물과 신문화'를 소개하는 글귀 너머 붙어 있는 흑백 사진에서 소설 속 수인과 하루코가 미쓰코시 백화점 옥상 카페에서 보았던 세련된 남성들과 신여성들의 모습이 저와 같지 않았을까 상상해 보았다. 그다음으로 우리 눈을 사로잡은 것은 디지털 아카이브로 꾸며 놓은 일제 강점기 대중가요 30곡이었다. 가수가 되고 싶었던 수인이 축음기로 대중가요를 들었던 것처럼, 레코드판을 고르듯이 화면을 넘기면 식민지 시대 한국인들이 듣던 노래들을 확인할 수 있다.

이렇게 소설 속 수인의 삶을 따라가다 보면 '이야기 3'이라는 작은 표지를 발견할 수 있는데, 그 안쪽에 1~2평 남짓한 조그마한 전시 공간이 숨어 있다. '접어 둘 수 없는 이야기'라는 제목이 붙어 있는 곳, 일본군 '위안부' 사건을 마주하는 공간이다. 들어서는 순간 발랄했던 소녀 시절의 모습은 사라지고 모진 세월을 견디고 노인이 된 7명의 소녀들이 주름 가득한 얼굴로 정원철 화백의 판화 위에서 우리를 바라보고 있었다.

뒤돌아서면 '생존자들이 남긴 그림과 압화 작품'이 슬라이드 영상으로 재생되고 있어, 소녀가 노인이 되기까지 겪어 온 시간에 대해 짐작해 보게 했다. 그 시간은 아마도, 우리가 감히 가늠할 수 없는 처절한 생존의 역사였을 것이다. 그러니 그들을 '생존자'라고 부르지 않을 수 없다.

한때는 꿈 많은 소녀들이었던 일본군 '위안부' 생존자들을 만날 수 있다.

소녀의 시간은
흐르지 않는다

대한민국 역사 박물관 관람을 마치고 이번 답사의 가장 주요한 방문지인 평화의 소녀상으로 가려면 박물관 뒤편으로 돌아가야 한다. 고층 빌딩이 맞이하는 골목을 천천히 걸으면 5분 만에 평화의 소녀상에 도착할 수 있다.

평화의 소녀상은 매주 수요일마다 수요 시위가 열리는 장소인 옛 주한 일본 대사관 앞에 자리하고 있다. 옛 일본 대사관은 현재 재건축을 위해 헐린 채로 남아 있고, 일본 대사관은 바로 뒤편의 높은 건물 안으로 자리를 옮겼다. 주한 일본 대사관을 나타내는 표시는 외관에서 찾기 힘드니 처음 찾아가는 길이라면 평화의 소녀상 옆에 있는 연합뉴스 건물을 먼저 찾는 것이 편하다.

평화의 소녀상은 옛 일본 대사관 자리를 바라보며 의자에 앉아 있다. 소녀의 발치에는 '진실을 위해 여기 선 여성'들의 이름이 하나씩 길을 따라 적혀 있고, 소녀 옆에는 빈 의자가 놓여 있어 마치 이곳에 함께 앉겠느냐고 말을 건네는 듯했다.

빈 의자 옆 바닥에 새겨진 평화비에 따르면, 이 소녀상은 1992년 1월 8일부터 시작된 일본군 '위안부' 문제 해결을 위한 수요 시위가 2011년 12월 14일에 1,000번째를 맞이할 때 그 정신을 잇고자 세워졌다.

매주 수요일마다 진행되는 수요 시위는 세계 최장 기간 집회

맨 처음 세워진 평화의 소녀상은 여전히 그 자리에서 오늘의 역사를 바라보고 있다. 평범한 소녀들이었을 일본군 '위안부' 피해자의 모습을 다시 한번 기억하라고 말을 건네는 듯하다.

기록을 가지고 있을 정도로 오래 지속되었으나, 최근 몇 년 동안에는 수요 시위에 반대하는 일부 단체가 집회 장소를 먼저 점령하여 자리를 옮기기도 했다. 폴리스 라인으로 사방이 둘러싸인 채 광복절을 맞이한 소녀는 무슨 생각을 하고 있을까.

우리가 일본군 '위안부' 피해자라고 뭉뚱그려 부르는 이름 속에는 『푸른 늑대의 파수꾼』 속 '수인'처럼 각자의 꿈과 이야기를 간직한 개인들이 존재한다. 수요 시위의 정신을 이어받아 세운 기림물이 '평화의 소녀상'과 같은 모습인 것은, 깊은 상처와 아픔을 겪기 전에 그들 한 명 한 명이 꿈을 꾸고 이야기를 만들었던 시간을 잊지 말자는 의미일지도 모른다.

현재를 살아가는 우리가 지키고 싶은 것이 소녀가 마음껏 꿈꿀 수 있는 평화라면, 그것은 폴리스 라인으로 지켜져야만 하는 것일까? 학생들과 함께 이곳을 찾는다면 수인의 시간을 지키고자 한 햇귀를 떠올리며 소녀를 지키기 위해 우리가 지금 무엇을 할 수 있을지 이야기해 보아도 좋을 것이다. 두 주먹을 꼭 쥐고 앉은 소녀를 다시 바라보았다. 소녀의 시간은 아직 이 자리에 멈추어 있다.

손을 맞잡고 함께 기억한다면

평화의 소녀상과의 아쉬운 만남을 뒤로하고 우리는 일본군 '위안부' 기억의 터로 향했다. 지하철 3호선 안국역 6번 출구 앞에서 순환 01번 버스를 타면, 10여 분 만에 종점인 남산예장 버스 환승 주차장 정류장에 도착한다. 그곳에서 하차하여 5분 정도 걸어가면 일본군 '위안부' 기억의 터에 이른다.

일본군 '위안부' 기억의 터는 일본군 '위안부' 피해자들의 고통과 아픔을 함께 나누고 기억하자는 의도로 2016년에 조성된 기념 공원인데, 한일 병합 조약이 체결되어 국권이 피탈되었던 현장인 통감관저 터에 자리한다.

그런데 우리가 이곳에 답사를 다녀온 이후, 일본군 '위안부' 기억의 터에 설치되어 있던 조형물의 철거 문제가 생겼다. 조형물 2점의 창작자가 성추행으로 유죄를 선고받으면서, 결국 조형물이 완전히 철거되었다. 일본군 '위안부' 기억의 터는 시민들의 모금으로 조성된 곳이어서 공간은 유지하되, 새로운 콘텐츠로 이곳을 채워 나갈 계획이라고 한다.

우리는 마지막 답사 장소인 서울 일본군 '위안부' 피해자 기림비로 향했다. '서울'이라는 지역명이 붙은 것은, 이 기림비의 자매 기림비가 미국 샌프란시스코에 먼저 건립되었기 때문이다. 실제로 서울 일본군 '위안부' 피해자 기림비는 미국 캘리포니아

동서남북으로 손을 잡고 서 있는 세 소녀의 형상 중 한쪽이 비어 있다. 빈 자리를 채워 소녀들의 손을 잡아 줄 사람은 누구일까 묻는 듯하다.

주의 비영리 단체에서 기증받아 2019년 일본군 '위안부' 피해자 기림의 날에 설치되었다.

일본군 '위안부' 기억의 터에서 이곳에 가려면 남산예장 버스 환승 주차장 정류장에서 8001번 버스나 01번 버스를 타고 20여 분 정도 걸린다. 평화의 소녀상에서 바로 서울 일본군 '위안부' 피해자 기림비로 이동하려면 안국역 버스 정류장에서 162번 버스를 타고 숭례문 정류장에 내린 뒤 건너편에서 402번 또는 405번 버스로 갈아타고 남산 도서관 정류장에 하차하여 도보로 10분 정도 이동하면 된다.

서울 일본군 '위안부' 피해자 기림비 역시 일제 강점기 시절의 아픈 역사를 간직한 곳인, 조선 신궁 터 앞쪽에 위치한다. 안중근 의사 기념관과 서울특별시 교육청 교육 연구 정보원 근처이지만 자칫 지나치기 쉬운 주차장 쪽 작고 소박한 공간에 자리하니 길을 헤매지 않으려면 서울특별시 교육청 교육 연구 정보원을 먼저 찾는 것이 좋다.

서울 일본군 '위안부' 피해자 기림비는 일본군 '위안부' 피해자가 있었던 한국, 중국, 필리핀 각 나라의 소녀를 김학순 씨가 바라보는 모습으로 세워져 있다. 김학순 씨는 일본군 '위안부'가 있었다는 사실을 세상에 가장 처음 증언했다.

이 기림비의 가장 큰 특징은 동서남북으로 손을 잡고 서 있는 세 소녀의 형상 한쪽이 비어 있다는 것이다. 이는 소녀상과 우리가 손을 맞잡을 때 기림비의 진정한 의미가 비로소 완성될 수 있음을 뜻한다.

거친 자갈밭 위에 선 김학순 씨의 흔들림 없는 시선이 어느새인가 우리들의 마음을 찔렀다. 맞잡을 손이 없어 떨고 있는 소녀들의 손을 어서 잡아 주지 않고 무엇 하냐고 말하는 것 같기도 했다.

문득 영화 「아이 캔 스피크」의 한 장면이 떠올랐다. 「아이 캔 스피크」는 2007년 일본군 '위안부' 강제 동원에 대한 일본의 공식적인 인정과 사과, 역사적 책임을 촉구하는 '일본군 위안부 결의안' 공개 청문회에서 증언한 이용수 씨의 실화를 바탕으로 만들어졌다.

이 영화에 등장하는 나옥분 씨는 자신이 일본군 '위안부' 피해자임을 평생 숨기고 살다가, 미국 하원 의회에서 상처로 가득한 자신의 배를 내보이며 진실을 외쳤다. 그 외침이 우리의 마음에 일으킨 파동을 세상으로 번져 나가게 하려면 어떻게 해야 할까 고민했었는데, 서울 일본군 '위안부' 피해자 기림비에서 비로소 우리 나름의 답을 찾은 듯했다.

김학순 씨의 모습으로 형상화된 수많은 일본군 '위안부' 피해자들의 시선을 피하지 않고 똑바로 마주하며 잊지 않고 기억하는 것, 그리고 세 소녀들 틈으로 들어가 그들의 손을 함께 맞잡음으로써 정의를 위해 연대하는 것. 어쩌면 그것이 전부이지 않을까.

『푸른 늑대의 파수꾼』의 햇귀처럼 과거로 되돌아갈 수는 없지만, 서울 일본군 '위안부' 피해자 기림비의 소녀들에게 손을 내밀 수는 있다. 『푸른 늑대의 파수꾼』 속 소녀의 꿈을 앗아 가려 했던 것들을 기어코 기억하는 것이, 우리가 역사의 파수꾼이 되는 유일한 방법이다. 함께 기억하면 역사가 된다.

학생들과 함께 서울 일본군 '위안부' 피해자 기림비의 일부가 되어 보면 어떨까. 세 소녀 옆에 나란히 서서 함께 손을 잡는 순간, 어쩌면 아이들이 소설 속 햇귀와 같이 그들만의 눈부신 용기를 보여 줄지도 모를 일이다.

학생들과 함께 떠나기 좋은 답사 코스

일제 강점기의 시대적 배경을 살펴본 뒤 일본군 '위안부' 피해자를 기리는 장소로 이동하는 코스이다. 광화문에서 남산까지 일제 강점기 경성 시내를 상상하며 답사할 수 있다.

난도: ★★
추천 계절: 봄, 가을
만남의 장소: 지하철 5호선 광화문역 2번 출구

01 근현대사 체험은 이곳에서! 대한민국 역사 박물관

5층 '역사관'에서 1910년부터 최근에 이르기까지 우리나라의 근현대사를 시간순으로 살펴볼 수 있다. 아이들이 소설 『푸른 늑대의 파수꾼』의 주인공인 '수인'의 흔적을 찾아보며 관람하도록 지도해 보자.

도보 5~8분 ▸▸

02 가장 처음 설치된 평화의 소녀상

일본군 '위안부' 피해자를 상징하는 평화의 소녀상은 국내외 여러 곳에 있는데, 서울 종로구 수송동 옛 일본 대사관 도로 건너편에 처음 세워졌다. 소녀상이 왜 이런 모습일지 함께 이야기해 본다면 아이들이 주의 깊게 평화의 소녀상을 살펴볼 수 있을 것이다.

도보 및 대중교통 약 30~35분 ▸▸

03 기억하지 않는 역사는 되풀이된다, 기억의 터

일본군 '위안부' 기억의 터는 한일 병합 조약이 체결된 통감관저 터에 자리한다. 일본군 '위안부'의 역사를 잊지 않고 기억하기 위해 조성된 곳이다.

도보 18분 ▸▸

04 서로 손을 맞잡고 온기를 나누는 일본군 '위안부' 피해자 기림비

세 소녀의 형상 중 한쪽 자리가 왜 비어 있는 것일지 학생들과 함께 이야기를 나눈 다음, 직접 비어 있는 자리에 들어가 소녀들과 함께 손을 맞잡고 기림비를 완성해 본다면 답사를 뜻깊게 마무리할 수 있을 것이다.

대중교통 20분 ▸▸

01

02

04

한 학기 한 권 읽기 추천 도서&추천 콘텐츠

■■『푸른 늑대의 파수꾼』(김은진, 창비)

현재를 살아가는 '햇귀'가 시간 여행을 통해 일제 강점기 시절의 꿈 많던 10대 소녀 '수인'을 만나는 이야기이다. 시간 여행이라는 흥미로운 설정 덕분에, 일본군 '위안부'라는 가볍지 않은 소재를 다루면서도 아이들의 관심을 유도하기가 용이하다. 일제 강점기에도 자신들과 같은 청소년이 존재했다는 사실을 깨닫는 것만으로도 아픔을 이해하고 공감하려는 성숙한 태도를 내면화할 수 있다.

■■『그래도 나는 피었습니다』(문영숙, 서울셀렉션)

어느 날 '나눔의 집'에서 갑자기 사라진 외할머니의 부음이 전해지고, 그제야 온 가족이 외할머니의 아픈 과거를 알게 된다. 소설 속 외할머니가 남긴 구술집을 통해 일본군 '위안부' 피해자들이 겪은 불행하고 처참한 역사가 사실적이고 구체적으로 묘사되어 있으므로, 실제 역사를 있는 그대로 받아들일 준비가 된 아이들이 접해야 좋을 듯하다. 잊지 않기 위해서는 결국 알아야만 한다는 자명한 사실을 전달하기에 더할 나위 없는 책이다.

■■『꽃과 나비』(민경혜, 단비청소년)

일본군 '위안부'의 실상을 비롯해 일제 강점기부터 6·25 전쟁까지 역사의 참혹한 장면을 그대로 보여 주기에, 아이들이 지혜롭게 받아들일 수 있도록 지도하는 것이 교사에게 의미 있는 도전이 될 것이다. '춘희'와 '희주'의 이야기가 번갈아 서술되므로『푸른 늑대의 파수꾼』과 비교하며 읽기에도 적합하다. 약자를 향한 폭력, 잘못에 대한 책임과 용서를 주제로 이야기 나눌 수 있다.

■■ 영화 「아이 캔 스피크」

수많은 민원을 넣어 구청의 블랙리스트가 된 옥분 할머니에게 원칙주의자 공무원 민재가 영어를 가르쳐 주게 되면서, 결코 어울릴 것 같지 않은 두 사람이 가까워진다. 사실 옥분 할머니에게는 비밀이 있는데, 바로 일본군 '위안부' 피해자 중 한 명이라는 사실이다. 일본군 '위안부' 문제에 대한 접근 방식을 발랄하게 비틀었다는 호평을 받은 이 영화를 통해서라면, 일본군 '위안부' 문제에 대해 우리가 왜 기억해야 하는지 어렵지 않게 깨달을 수 있다.

성찰하는 시인의 길

김나영(경성중학교)·김병성(경성중학교)·김시형(양정고등학교)·김예환(인수중학교)·박세희(장위중학교)

윤동주의 길을 따라 걷다

🚶 윤동주 문학관 → 시인의 언덕 → 청운 문학 도서관 → 윤동주 하숙집 터 → 연세대학교 윤동주 기념관

"어제도 가고 오늘도 갈 길"은 늘 같은 곳에 같은 모습으로 존재한다. 그 길에서는 "민들레, 까치, 아가씨, 바람"도 매일 마주칠 수 있다. 시인 윤동주는 이러한 나의 길을 언제나 새로운 길로 인식하며 익숙해지기 쉬운 일상을 낯설게 봄으로써 관성에 끌려가는 삶을 경계하고자 끊임없이 성찰했다. 우리는 그동안 어떤 길을 걸어왔을까? 지금은 어떤 길을 걷고 있을까? 앞으로는 어떤 길을 걸어가야 할까? 그 답을 찾기 위해 우리는 윤동주를 따라 걷는 길에 발걸음을 내디뎠다.

#서울 종로구 #윤동주 #하늘과 바람과 별과 시

여름 장마답게 거세게 퍼붓던 비가 그치고 고요한 안개가 깔린 아침, 우리는 경복궁역에서 버스를 타고 자하문 고개에서 내렸다. 섬세하고 민감하게 내면과 세상을 바라보았던 시인 윤동주의 길을 걷기에 어울리는 분위기였다. 아는 만큼 보인다고, 우리는 윤동주의 흔적이 갈무리되어 있는 윤동주 문학관을 시작으로 시인의 언덕과 청운 문학 도서관, 연세대학교의 윤동주 기념관을 둘러보기로 했다.

답사 전에 단행본 『원본 대조 윤동주 전집 하늘과 바람과 별과 시』(연세대학교출판부), 전국 국어 교사 모임의 『윤동주를 읽다』(휴머니스트)를 함께 읽었고, 교과서에 실린 윤동주의 시와 학습 활동을 살펴보았다. 더불어 영화 「동주」를 비롯하여 다큐멘터리, 예능, 노래, 연극 등 시인과 관련된 다양한 콘텐츠를 접했다. 윤동주와 그의 작품이 아직도 수많은 사람에게 새롭게 해석되며 깊은 영감을 주고 있음이 느껴졌다.

이러한 시인을 기리는 윤동주 문학관에 다다랐다. 윤동주 문학관 외벽에는 「새로운 길」이라는 시가 쓰여 있다. 윤동주 시인의 길을 따라 걷기 전, 오늘 걸을 길은 어떨지 잠시 다 같이 생각해 보았다.

내를 건너서 숲으로
고개를 넘어서 마을로

어제도 가고 오늘도 갈
나의 길 새로운 길

민들레가 피고 까치가 날고
아가씨가 지나고 바람이 일고

나의 길은 언제나 새로운 길
오늘도…… 내일도……

-「새로운 길」 중

영혼을 맑게 해 주는 우물,
윤동주 문학관

폐기된 상수도 가압장을 개축한 윤동주 문학관의 첫인상은 마치 하얀색 병원 건물 같았다. 윤동주 시인의 유일한 시집의 제목은 『하늘과 바람과 별과 시』이다. 그런데 원래 시인이 직접 붙인 원제는 '병원'이었다. 병원은 병을 낫게 하는 공간이다. 시인 또한 자신의 시집을 통해 현실의 병을 치유하고 싶었던 것이 아닐까?

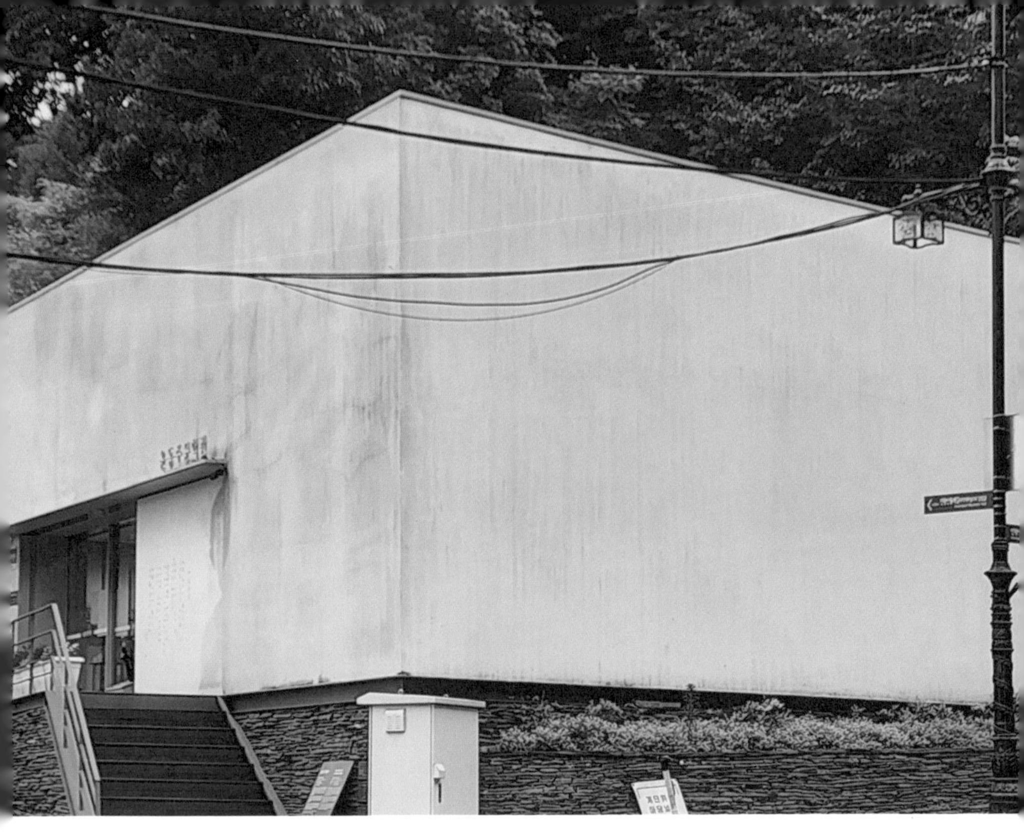

폐기된 상수도 가압장을 개축한 윤동주 문학관의 첫인상은 하얀색 병원 건물 같았다.

> 나도 모를 아픔을 오래 참다 처음으로 이곳에 찾아왔다.
> 그러나 나의 늙은 의사는 젊은이의 병을 모른다. 나한테는 병이 없다고 한다.
> 이 지나친 시련, 이 지나친 피로, 나는 성내서는 안 된다.
>
> – 「병원」 중

젊은 시인은 아픔을 참고 참다 삶을 포기하지 않고 병원을 찾았을 것이다. 아마 윤동주는 병원에서 '시'라는 처방을 찾지 않았을까? 시인은 "이 지나친 시련과 피로"에 "성내서는 안 된다"라고 되뇌며 스스로 젊어져야 하는 현실을 시로 풀어내었다. 윤동주 문학관은 이러한 시인의 작품을 기억하고 삶의 아픔에 위로를 건네는 공간이다.

3개의 전시실로 구성된 문학관은 오늘날 윤동주 시인이 살아 있었다면 이렇게 꾸미지 않았을까 싶을 정도로 소박하고 깔끔했다. 1 전시실에는 윤동주 시인의 생가에 있던 우물 목판을 중심으로 9개의 전시대에 시인의 육필 원고부터 학창 시절 성적표 등을 시간순으로 배열했다.

1 전시실에서 인상적인 것은 1942년 윤동주 시인이 일본 유학을 선택했을 당시의 학적부였다. 학적부의 이름 칸에는 "윤동주(尹東柱)"에 붉게 두 줄을 긋고 "히라누마 도오쥬(平沼東柱)"라고 적혀 있었다. 우리말을 잃어 가는 상황에서 우리말로 시를 쓰던 시인이 어쩔 수 없이 해야만 했던 창씨개명. '윤동주'라는 이름 위에 붉게 그인 2줄을 보고 나조차도 좌절감이 느껴졌다. 이 무렵 윤동주는 시 「참회록」을 썼다.

어둡고 힘든 시기에 희망을 바라고, 그 희망을 향해 자기 자신이 할 수 있는 일, 이룰 수 있는 일을 고민한 시인은 「참회록」의 여백에 자신의 고민을 나열해 놓았다.

생, 생애, 생존, 힘, 시(詩)란?

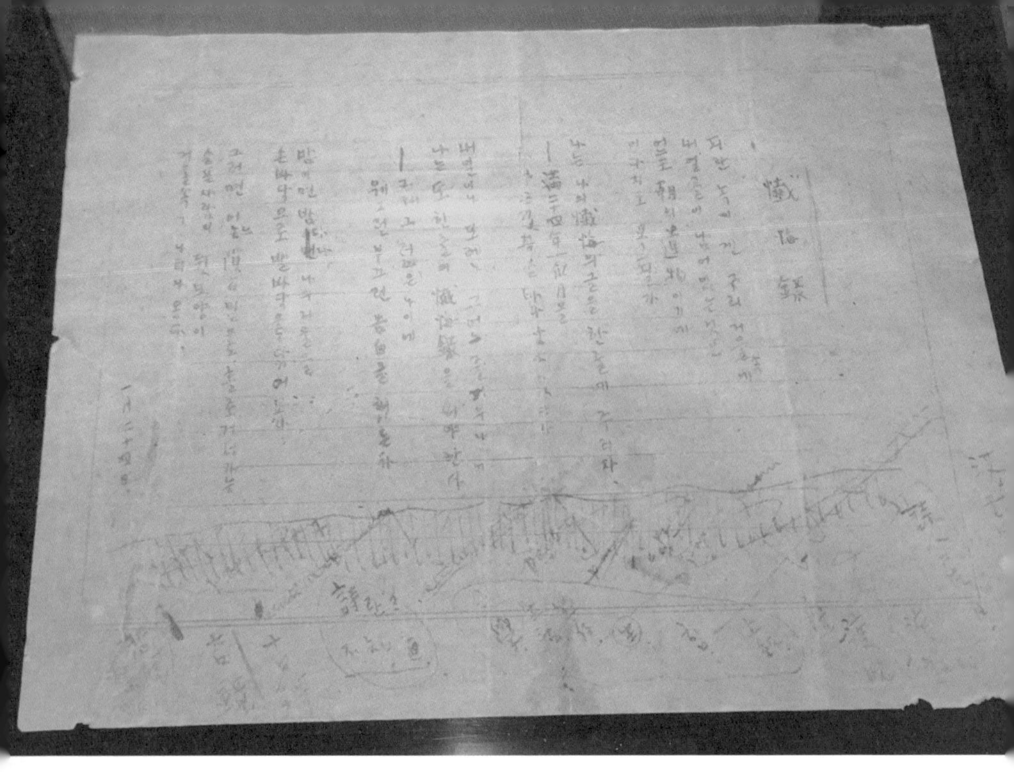

「참회록」 육필 원고. 시 주변에 적어 놓은 시인의 무수한 고민을 엿볼 수 있다.

자아 성찰은 아프고 고통스럽다. 자신을 반추하고 스스로를 객관화하며 끊임없이 자신의 위치와 과오를 되새겨야 하기 때문이다. 이러한 고통을 견디며 부끄럽지 않은 자신을 위해 노력했던 시인의 태도가 오늘날 우리에게 귀감이 되는 것이 사실이지만 그를 만날 수 있다면 그만 아파하고 그만 부끄러워해도 좋다고 이야기해 주고 싶을 만큼 마음이 아렸다.

2 전시실은 물탱크의 상단을 개방한 열린 우물이다. 공간 자체가 과거의 물탱크를 활용한 것이니 현대적인 우물이 아니겠냐는 직원분의 설명이 있었다. 열린 우물의 내부로 들어서면 우물의

밑바닥에 서서 자연스럽게 하늘을 우러러보게 된다.

> 산모퉁이를 돌아 논가 외딴 우물을 홀로 찾아가선 가만히 들여다봅니다.
>
> 우물 속에는 달이 밝고 구름이 흐르고 하늘이 펼치고 파아란 바람이 불고 가을이 있습니다.
>
> 그리고 한 사나이가 있습니다.
> 어쩐지 그 사나이가 미워져 돌아갑니다.
>
> -「자화상」 중

열린 우물에서 보이는 네모반듯한 하늘은 시인이 바라본 우물의 풍경이 어떠했을지 상상하게 했다. "달이 밝고 구름이 흐르고 하늘이 펼치고 파아란 바람이 불고 가을이 있"는 풍경 속 자신을 보며 자신을 미워하다가 가엾어하기를 반복하는 윤동주의 모습을 떠올렸다. 잠시 이곳에서 우물에 비친 우리의 모습은 어떤지 자신을 성찰해 보는 시간을 보냈다.

3 전시실은 물탱크의 상단을 막은 닫힌 우물이다. 이곳에서 윤동주의 실제 삶이 담긴 영상물을 상영한다. 사방이 막혀 있는 공간에서 영상물을 보다 보니 웅장하게 울리는 소리가 마음까지 와닿는 느낌이었다. 흥미로운 것은 천장에 뚫려 있는 작고 네모

난 구멍이다.

작은 구멍으로 쏟아지는 빛을 보니 마치 내가 「자화상」의 우물 속 사나이가 된 듯한 기분이었다. 우물 밖의 나는 나를 지켜보며 어떤 생각을 하고 있을까? 한참을 빛과 마주했다. 문득 시인의 수감 시절이 떠올랐다. 좁은 감옥에서 창 틈새로 들어오는 한 줄기 빛을 보며 윤동주는 어떤 생각을 했을까? 작은 틈으로 새어 들어오는 빛을 바라보며 느꼈을 자기 삶에 대한 성찰, 어두운 상황에 대한 무력감과 빛에서 찾아보는 희망. 복합적인 감정을 성찰할 수 있는 공간이었다.

슬픈 족속의 길,
시인의 언덕

윤동주 문학관을 나와 시인의 언덕으로 올라가는 길을 걷다 보니 사방이 고요해졌다. 세상의 온갖 시끄러운 소리가 잦아드니 자연의 소리가 크게 들렸다. 그러자 내 마음의 소리도 크게 들렸다. 늘 새로운 길을 걷고자 한 윤동주의 마음으로 내 마음을 새로이 해 보았다. 이곳에서는 천방지축 재잘거리는 학생들도 잠시 자기 마음에 귀 기울이고 걸음걸음을 옮기며 사색에 잠겨 보는 것이 좋겠다.

시인의 언덕에는 시비(詩碑) 하나가 세워져 있다. 앞면에는 「서

시」가, 뒷면에는 「슬픈 족속」이 새겨진 독특한 비석이다. "슬픈 족속"은 백의민족으로 대표되는 우리 민족을 가리킨다. 우리의 말과 글조차 자유롭게 쓸 수 없었던 시절, 슬픈 족속으로 살아가는 그의 심정은 어떠했을까? 무엇이 그로 하여금 괴로움 속에서도 "모든 죽어 가는 것을 사랑"하게 했을까? 슬픈 족속으로 살아가며 자신에게 "주어진 길을 걸어가야겠다."라는 시인의 의지가 사뭇 결연하게 느껴졌다.

시는 언덕의 제일 높은 곳에서 시내를 바라보는 방향에 새겨졌다. 잎새에 이는 바람에도 괴로워한 젊은 시인은 같은 조선인을 외면할 수 없었다. 그의 개인적인 고민은 식민지 시대와 분리될 수 없었고 그의 성찰은 세상에 닿아 있었다. 그의 시선은 조선인의 지친 몸과 마음을 민감하게 포착하고 그 성찰을 글로 동여매 시에 담았다. 윤동주의 영혼은 아직 그곳에 남아, 언덕 위에서 세상을 바라보고 있지 않을까?

길의 끝,
또 다른 시작

시인의 언덕 끝에서 길을 따라 내려가면 고즈넉한 기와지붕과 작은 폭포가 어우러진 청운 문학 도서관이 보인다. 아마도 윤동주는 현재 도서관이 있는 자리를 거쳐 인왕산 자락을 오르내리며 시상을 떠올렸을 것이다.

청운 문학 도서관은 문학에 특화된 도서관으로 다수의 문학 작품을 소장하고 있으며, 윤동주 관련 문학 행사를 포함하여 다양한 도서 행사를 진행한다. 도서관 건물은 1층의 작은 한옥 건물과 지하의 현대식 건물로 이루어져 있다. 한옥 건물에 시선이 사로잡혀 냅다 마루로 올라가 보았다. 한옥에 어울리는 좌식 책상에 앉아 오늘 답사를 돌아보았다. 학생들과 함께 이곳에서 윤동주 시집을 찾아 읽거나 답사의 감상을 나누어 보는 것도 좋겠다. 답사를 마치고 윤동주 시인의 시를 다시 읽으면 왠지 모를 새로운 느낌이 든다. 어제도 가고 오늘도 갈 길이 왜 새로운 길인지 알 것도 같다. 지친 발을 잠시 쉬며 각자 느낀 새로움을 나누어 보는 건 어떨까?

아직 나의 청춘이 다하지 않은 까닭입니다

청운 문학 도서관에서 나와 인왕산 숲길을 따라 한참 걸었다. 숲길의 끝자락에는 윤동주가 하숙했던 집의 터가 자리한다. 하지만 윤동주 하숙집 터에는 그의 흔적을 알리는 작은 팻말이 붙어 있을 뿐이다.

윤동주는 중국 북간도의 명동촌에서 태어나 유년 시절을 보냈다. 중학교 졸업 이후 윤동주는 1938년 연희전문학교의 문과에 입학하여 본격적으로 우리말과 문학을 공부했다. 고향을 떠나온 윤동주는 여러 곳에 머물렀는데 1941년에는 자신이 존경하는 소설가 김송의 집에서 동문 정병욱과 함께 하숙했다.

김송의 부인과 자녀들은 윤동주를 가족처럼 따뜻하게 대해 주었고 같은 방을 쓰는 정병욱은 윤동주를 친형처럼 여기고 의지했다. 비록 타향살이하는 처지였으나 가족의 따뜻함을 느꼈을 것이다. 그래서인지 윤동주는 문학 창작에 몰두하였고 이곳에서 시 「별 헤는 밤」과 「자화상」 등을 썼다. 그러나 일제는 요시찰 인

청운 문학 도서관에서 인왕산 숲길을 따라 마을로 건너가면 만날 수 있는 윤동주 하숙집 터. 작은 팻말과 쭈글쭈글한 현수막, 빛바랜 태극기가 시인의 흔적을 나타내지만, 다소 초라하게도 느껴진다.

물인 김송과 연희전문학교 학생인 윤동주, 정병욱을 지속적으로 감시하였고 결국 윤동주는 김송의 하숙집을 떠날 수밖에 없었다. 시대의 아픔 속에서 젊은 청년의 고민은 깊어져 갔고 더불어 그의 시 세계도 깊어져 갔다.

이곳에서부터 시인의 연희전문학교 시절 등굣길을 따라가 보았다. 마을버스로 경복궁역으로 이동한 뒤, 연세대학교 앞까지 가는 버스로 갈아탔다. 연세대 정문부터 백양로를 따라 윤동주 기념관까지 거닐다 보면 신촌(新村)이라는 이름에 걸맞게 젊은이의 활기를 느낄 수 있다. 이 동네에선 윤동주의 젊음을 생각해 보게 된다.

윤동주는 1938년 4월 9일 연희전문학교에 입학해 우리말과 영어, 역사 등을 배웠다. 그의 친구 정병욱에 따르면 기숙사에서 윤동주의 방이 가장 늦게 불이 꺼지고 가장 일찍 문이 열렸다고 한다. 또한 깔끔하게 정리된 방에는 늘 사람이 끊이지 않았다고 회고했다. 남다른 성실함과 순수함을 간직했기에, 대학 재학 시절 사람들이 윤동주에게 이끌린 것처럼 오늘날 우리 역시 그의 시를 찾는 건 아닐까 하는 생각이 들었다.

연세대학교 윤동주 기념관은 윤동주를 기념하고 그 의미를 전하기 위해 만들어진 공간으로, 연희전문학교 재학 시절 청년 윤동주의 기숙사였던 핀슨관에 위치한다. 이곳은 윤동주 유족이 기증한 1,000여 점의 윤동주 유품과 원본을 기반으로 만들어졌기에 그의 흔적을 어느 곳에서보다 진하게 느낄 수 있다. 관람

예약 날짜에 맞추어 윤동주 기념관을 방문하면 전시실을 빼곡히 채운 그의 원고와 유품을 하나하나 살펴볼 수 있다.

특히 윤동주의 기숙사 방을 재현한 공간이 인상적이다. 청년 윤동주를 생각하면 처연하게 푸른색이 떠오른다. 젊은 윤동주에게는 앞으로 살아갈 날들이 많았고 그래서 고민도 많았다. 기숙사 방에 누워 존경하던 교수님들이 점차 교정을 떠나는 현실에 대해, 혼란스러운 상황에서 우리말로 시를 쓰는 일에 대해, 징병을 피해 자신의 뜻을 펼치는 길에 대해 수없이 고민했으리라. 그럼에도 윤동주는 주저앉지 않고 성찰을 통해 앞으로 나아가는 청년(青年)의 푸르름을 잃지 않았다. 문학에 대해 학우들과 뜨겁게 토론하고, 존경하는 최현배 교수의 우리말 강의를 곱씹으며, 우리말로 습작 시를 짓고 고쳤다. 한글 사용이 엄격하게 금지된 시기에도 꿋꿋이 우리말로 시를 쓰며 저항한 시인의 의지를 다시금 느낄 수 있다.

이 답사를 통해 윤동주 시인의 발자취를 좇으며 그가 걸은 길에 대해 함께 고민하고 스스로를 돌아보았다. 윤동주 시인은 끊임없는 자아 성찰을 통해 "모든 죽어 가는 것들을 사랑"하겠다고 다짐하며 자신의 길을 걷고자 했다. 그의 가치관과 신념은 '다름'이 '틀림'으로 규정되고 타인에 대한 수용과 애정이 부족해진 지금, 더욱 가치 있게 느껴진다. 캄캄한 어둠 속에서도 "거울"을 닦으며 부끄럽지 않은 삶을 살기 위해 노력한 그의 삶을 기억하면서 우리 모두 그가 걷던 길을 따라가 보는 것은 어떨까?

학생들과 함께 떠나기 좋은 답사 코스

윤동주의 흔적을 따라 윤동주 문학관에서 출발해 시인의 언덕, 청운 문학 도서관을 거쳐 윤동주 하숙집 터와 연세대학교 윤동주 기념관에 이르는 길이다.

난도: ★★
추천 계절: 가을
만남의 장소: 3호선 경복궁역 3번 출구

01 윤동주 문학관에서 우물을 들여다보며 걷기

폐기된 상수도 가압장을 리모델링하여 지었다. 시인의 작품에서 자주 등장하는 소재인 '우물'을 중심으로 그의 삶을 경험할 수 있다.

도보 2분 ▸▸

02 시인의 언덕에서 『하늘과 바람과 별과 시』를 느끼며 걷기

윤동주 문학관을 나와서 좌측 좁은 길 계단을 따라 올라가면 만날 수 있는 야외 장소이다. 시비의 앞면과 뒷면을 꼭 함께 살펴보도록 한다.

도보 3분 ▸▸

03 청운 문학 도서관에서 시인의 작품 찾아보며 걷기

한옥으로 지어진 도서관의 마루 열람실이 인상적이다. 작은 폭포와 조경이 아름답다. 세미나실을 미리 예약하여 활동을 진행할 수도 있다.

대중교통 20분 ▸▸

04 시인의 자취 윤동주 하숙집 터

하숙집은 그 터만 남아 있지만, 시인이 머물렀던 정취를 느낄 수 있다. 가는 길목에 시인이 걸었던 길의 의미도 생각해 보자.

대중교통 및 도보 40분 ▸▸

05 청년 윤동주의 젊음이 어린 연세대학교 윤동주 기념관

윤동주 시인의 등굣길과 학업 공간, 유품을 살펴볼 수 있다. 기념관에 올라가는 '윤동주 산책길'에서 시인에 대해 생각할 거리를 얻는다.

대중교통 30분 ▸▸

01

04

05

한 학기 한 권 읽기 추천 도서&추천 콘텐츠

■■『윤동주를 읽다』(전국 국어 교사 모임, 휴머니스트)

윤동주의 삶과 작품을 엮어 이야기로 풀어낸 책이다. 시인을 처음 접하는 학생도 쉽게 읽을 수 있다. 특히 답사 전에 시인의 삶과 문학 세계를 탐구하는 데 도움이 된다.

■■『원본 대조 윤동주 전집 하늘과 바람과 별과 시』(윤동주, 연세대학교출판부)

윤동주의 전 작품을 현대어와 원문으로 실은 책이다. 현대어와 원문을 비교하며 읽는 재미도 있고, 뒤쪽에 모아 놓은 동시를 활용해 수업을 구성할 수도 있다.

■■ 영화 「동주」

윤동주와 사촌 형 송몽규의 관계를 중심으로 시인의 삶을 재구성한 영화이다. 시집을 읽고 난 뒤 감상하면 영화 중간중간 등장하는 작품에 더욱 공감할 수 있다.

서울에서 바라본 조선의 바람

권수현(효양고등학교)·김미정(장위중학교)·임소영(삼각산중학교)·조윤수(삼각산중학교)·최예린(마장중학교)

서울에서 살펴보는 조선의 근대화

🚶 고종의 길 → 덕수궁 → 대한 제국 역사관 → 중명전

격동의 시대 속 새로운 세상을 향한 간절한 열망, 그리고 좌절. 급변하는 세계 흐름과 외세의 야욕 가운데 조선이 가야 하는 길을 치열하게 고민한 갑신년의 세 청년 김옥균, 박영효, 홍영식. 서울 덕수궁 일대에는 독립과 변화를 꿈꾼 젊은이들의 찬란했던 포부와 실패의 쓸쓸함이 고스란히 남아 있다. 그들 곁에서 힘없는 나라의 왕, 고종이 걸어야만 했던 비운의 길을 따라가며 한 걸음 한 걸음 그가 느꼈을 비통함과 고뇌를 헤아려 본다. 근대화된 조선의 모습과 질곡의 역사를 이루어 낸 이들의 발자취를 하나씩 따라가 보자.

#고종 #갑신정변 #김옥균 #박영효 #홍영식 #근대화 #갑신년의 세 친구

'조선의 근대화'가 주제인 이번 답사는 서울의 중심에서 이루어졌다. 광화문역에서 출발하여 고종의 길을 지나 덕수궁, 그리고 대한 제국 역사관과 중명전까지 약 2시간에 걸쳐 조선의 근대화와 관련된 장소들을 두루 살펴보았다.

고종의 길,
그의 마음으로 걷는 길

광화문역 6번 출구에서 정동 공원 방향으로 걸으면 러시아 공사관 근처에 있는 '고종의 길'이 나온다. 고종의 길은 덕수궁 돌담길에서 정동 공원, 러시아 공사관까지 이어지는 약 120미터의 길이다. 아관 파천 당시 고종이 경복궁에서 러시아 공사관으로 거처를 옮길 때 사용한 길로 추정된다.

급격히 변화하는 세계 흐름 속에서 근대화가 더뎠던 조선은 경제적으로나 군사적으로나 힘이 약했다. 급기야 명성 황후가 경복궁에서 살해되는 일까지 벌어졌다.

이때 러시아는 고종의 안전을 보장하겠다며 러시아 공사관으로 거처를 옮길 것을 권유했다. 고종의 길은 무력한 나라의 왕이 선택한 길이자, 자발적인 선택이 아닌 고뇌와 아픔이 느껴지는 길이다. 당시 고종의 마음을 추측하며 어울리는 음악을 찾아 학생들과 함께 들으며 길을 걸어 보는 것을 추천한다.

고종의 길은 아관 파천 당시 고종이 경복궁에서 러시아 공사관으로 거처를 옮길 때 사용된 120여 미터의 길이다.

위태로움 속에서 태어난 불꽃,
덕수궁

뜨거운 햇빛 아래 흔들리는 나뭇잎과 더불어 돌담길을 걷다 보면, 위태로우면서도 찬란한 열망이 녹아 있는 덕수궁을 만날 수 있다. 고종은 러시아 공사관에서 1년 정도 머무르다 덕수궁으로 돌아갔다. 고종에게는 나라의 주권을 빼앗긴 유약하고 무능력한 왕이라는 이미지가 덧씌워져 있다. 하지만 이는 일제 강점기 일본 학자들에 의해 만들어진 이미지일 뿐 사실은 그렇지 않다. 『갑신년의 세 친구』에는 젊은 국왕 고종의 꿈과 나라의 힘을 기르기 위한 노력의 과정이 고스란히 담겨 있다.

덕수궁을 찾은 이의 얼굴을 처음 맞이하는 대한문을 지나 조금 걷다 보면 오른편으로 나 있는 길 끝에 한 행각이 보인다. 이 길의 끝에는 함녕전이 있다. 고종 황제가 생활하던 침전으로 이름에는 '모두가 평안하다.'라는 뜻이 담겨 있다. 이 땅 위의 존재들이 오래도록 평안하길 바란 고종의 마음이 담긴 것은 아닐까. 하지만 모순되게도 이곳의 평안은 오래 유지되지 않았다.

12살이라는 어린 나이에 즉위해 22살에 아버지 대원군의 섭정을 벗어난 이후 고종의 행보는 줄곧 조선의 자주적인 근대화에 초점을 맞추고 있었다. 급변하는 국제 정세를 읽고 신문물을 들여올 인물들을 적극적으로 외국에 파견하였으며 개혁 기구를 설치하는 등 꿈을 향한 그의 걸음은 지칠 줄 몰랐다.

하지만 그 어느 때보다 혼란스럽던 시기에 고종의 꿈은 늘 좌절되었다. 십십이 쌓인 세월을 쥐어지고 있는 함녕전의 모습에서 오랜 꿈이 바스러지는 것을 지켜볼 수밖에 없었던 황제의 마음이 시리게 느껴졌다.

함녕전을 둘러싼 행각을 나와 오른쪽으로 시선을 돌리면 대한제국의 위상을 보여 주는 중화전이 보인다. 웅장한 중화전 앞에 서니, 조선의 독립과 개혁을 외친 갑신년의 젊은 청년들과 고종의 모습이 겹쳐 보였다. 을미사변과 아관 파천이 일어나기 10여 년 전 연암 박지원의 손자, 박규수의 사랑방에 모여든 청년들은

비 오는 날의 함녕전. 함녕전은 고종의 침전으로 사용되었다. 1907년에 강제로 퇴위당한 고종은 석조전이 완공된 후에도 이곳에서 지내다 1919년에 승하하였다.

목숨을 건 정변을 계획했다. 스승 박규수의 가르침을 받은 고종도 또래 청년들과 같은 마음이었을 것이다.

정변을 주도한 김옥균, 홍영식, 박영효는 1884년 12월 1일, 우정국 완공 축하연에서 일본 영사들과 대신들을 죽이고 고종과 함께 조정을 새로 꾸려 정령을 반포하려는 계획을 세웠다. 안정보다는 위태로움만 가득했던 날들 한복판에서 근대화를 향한 그들의 뜨거운 열망이 비로소 불꽃을 피워 낸 것이다. 하지만 이들의 시도는 성공을 거두지 못했다. 비록 그 불꽃은 3일 만에 뼈아픈 좌절로 꺼졌지만 죽음을 각오하고 나라를 위해 몸을 내던진 그 마음만은 남았다.

근대를 향한 황실의 바람, 석조전 대한 제국 역사관

우리가 익히 알고 있는 '궁'의 모습을 간직한 덕수궁의 여러 공간을 지나다 보면 얼마 안 가 이와 대조되는 풍경이 펼쳐진다. 물개 동상이 있는 새파란 바탕의 분수대 뒤로 우뚝 서 있는 큰 돌기둥들이 보인다. 덕수궁 석조전이다. 좀체 어울리지 않는다는 느낌도 잠시, 차갑고 웅장하게 대칭을 이루고 있는 이 신전 같은 건물이 조선의 궁궐 안에 있다는 신비로움에 압도되었다. 황궁으로 지어진 석조전은 용도가 많이 변경되며 그 원형이 훼손되었다가, 여러 고증 자료를 바탕으로 2014년에 복원이 완료되었다.

석조전은 지층, 1층, 2층 총 3개의 층으로 이루어져 있다. 석조전은 시종들의 생활 공간이었다고 하는데, 그중 복원이 어려운 지층은 현재 대한 제국 근대화의 역사와 5년간의 석조전 복원기를 설명하는 '대한 제국 전시실'로 운영된다.

해 오던 것을 바꾸고 모르는 것을 받아들이는 일은 늘 어렵기 마련이다. 고종은 외세를 견제함과 동시에 조선의 변화를 극렬히 반대하는 국내의 지배 세력과 맞서 싸워야 했다. 흥선 대원군을 위시한 유생들은 오랑캐의 문물을 배척하라는 상소를 매일

덕수궁 안에 위치한 석조전. 완벽한 대칭을 이루는 웅장한 돌기둥들이 다른 궁궐과는 대조를 이룬다.

왕에게 올렸다. 명분은 외세에 휘둘려서는 안 된다는 것이었지만 기득권을 잃지 않으려는 잇속이 공고히 깔려 있었다.

젊은 왕 고종은 거대한 바위 같은 기득권이라는 벽에 계란을 치고 다시 치는 것 같은 답답함과 절망감을 느꼈을 것이다. 전시실에서 의료, 교육, 통신, 우편, 전기 등 여러 분야에서 이루어진 근대화 과정을 보니 오늘날의 대한민국이 있기까지 애쓰고 때로는 아파야 했던 시간이 마음속에 가만히 흘렀다.

해설사의 인솔을 따라 1, 2층의 접견실, 침실, 테라스, 대식당 등을 차례로 관람했다. 돌계단을 밟고 올라 실내화를 신고 1층에 들어서자 유럽풍의 인테리어를 갖춘 중앙 홀이 먼저 나왔다. 사진 몇 장을 세세히 뜯어보며 최대한 비슷하게 복원했다는 전등과 화병, 천장의 금박 오얏꽃 문양, 과거에 사용하던 것 그대로라는 화려한 탁자에 눈길이 갔다. 낯선 호화로움에 백성들의 고통은 어디에 두었을까 하는 안타까운 궁금증이 샘솟기도 했다. 조선의 개혁 세력과 갑신년의 청년들도 이 점을 살피지 못했던 것은 아닐까.

모두가 배우고 깨치는 근대로 하루빨리 향하고자 했던 의지를 곰곰이 되짚어 보게 되는 공간이다. 눈앞에 놓인 당장의 고통과 먼 미래를 내다보려던 개혁 의지 사이, 우리가 그 시대에 서 있었다면 무엇이 먼저였을까. 혹은 어떻게 이 두 마리 토끼를 잡을 수 있었을까. 약했기에 강해져야만 했던, 그래서 나라를 뜯어 고치고 새로워져야만 했던 시대의 마음을 학생들과 떠올려 보며

석조전 1층 중앙 홀 천장에는 대한 제국을 상징하는 금박 오얏 꽃 문양이 새겨져 있고, 과거 사용하던 것 그대로라는 탁자가 놓여 있다.

잠시 궁의 주인이 되어 이야기를 나눠 볼 수 있을 것이다.

을사늑약의 현장, 생생한 역사 교육의 장소 중명전

대한문을 나와 덕수궁 돌담길 뒤쪽으로 가면 중명전이 있다. 중명전의 본래 이름은 수옥헌이었으나, 1904년 덕수궁 화재 후 '밝은 빛이 이어진다.'라는 뜻을 담아 이름을 중명전으로 바꿨다. 그러나 조선이 밝은 빛을 간직하기를 바란 고종의 마음과는 달리 중명전은 을사늑약이 체결되는 아픔을 간직한 장소가 되었다. 중명전 내부에는 을사늑약의 현장을 재현한 모형이 전시되어 있고, 을사늑약 전후 대한 제국의 변화에 대한 설명이 이어진다.

고종은 헤이그 특사를 파견해 만국 평화 회의에서 을사늑약의 불법성을 알리려 했지만 일본의 압박과 국제 정세의 논리에 따라 회의 참석을 거부당했다. 석조전 대한 제국 역사관에서 보았던 이준, 이상설, 이위종의 결연하고도 깊은 눈빛을 떠올리면 가슴이 벅차오르면서도, 주권을 빼앗긴 조선의 역사에 다시 참담해진다.

쓰라린 아픔이 담긴 곳이지만, 이제 중명전은 다시는 이와 같은 아픔을 겪지 말자는 이야기를 건네는 역사 교육의 현장이 되어 이름에 걸맞은 빛을 내고 있다.

고종, 그리고 갑신년의 세 친구

서양의 근대적 제도를 받아들이고 조선의 제도를 변화시켜 부강한 자주국을 만들고자 하였지만, 결국 제국의 황제로서 국권을 지켜 내지 못하고 열강 틈에서 나라를 식민지로 만들었다는 평가를 받는 고종. 그는 가장 가까이에 있던 부인마저 잃고, 조선 왕조의 비극적인 일을 모두 겪으며 바람 앞의 촛불과도 같은 심정이었을 것이다. 한마음 한뜻으로 개혁을 추진하였으나 각기 다른 선택을 한 갑신년의 세 친구들을 보면 혼란한 사회, 개인의 안위가 위협받는 상황에서 올곧은 신념으로 나라를 지키는 것이 얼마나 어려운 일인지 다시 한번 생각하게 된다. 덕수궁 일대를 거닐며 조선의 근대화를 위해 끊임없이 노력했던 그들의 발자취를 따라가 보길 바란다.

학생들과 함께 떠나기 좋은 답사 코스

'조선의 근대화'를 주제로 하여 고종의 길을 시작으로 덕수궁과 덕수궁 내 대한 제국 역사관, 중명전을 살펴본다. 모든 코스는 도보로 이동하며 총 2시간 내외가 소요된다. 날씨가 좋은 봄이나 가을에 함께 걸으며 답사를 즐기는 것을 추천한다.

난도: ★★
추천 계절: 봄, 가을
만남의 장소: 지하철 5호선 광화문역 6번 출구

01 불행한 황제의 비운의 길, 고종의 길

덕수궁 돌담길에서 러시아 공사관까지 이어지는 약 120미터 길이의 길. 광화문역 6번 출구에서 정동 공원 방향으로 10분 정도 걸으면 고종의 길 입구를 찾을 수 있다.

도보 20분 ▸▸

02 제국의 꿈과 좌절이 깃든 덕수궁

고종의 길을 약 20분 정도 걸으면 덕수궁 입구에 도착한다. 넉넉히 30분 동안 덕수궁을 돌아본 후 석조전 대한 제국 역사관을 방문하는 것을 추천한다.

도보 10분 ▸▸

03 근대화의 역사를 복원한 대한 제국 역사관

덕수궁 석조전에 있으며, 석조전의 지층은 대한 제국 전시실로 예약 없이 누구나 관람 가능하다. 석조전 근처 공간이 넓으니 근처에서 단체 기념사진을 찍으면 좋다.

도보 8분 ▸▸

04 을사늑약의 현장 중명전

덕수궁 돌담길을 돌아 뒤쪽으로 가면 정동극장 골목에 위치해 있다. 1 전시실부터 4 전시실까지 대한 제국 역사와 관련된 전시가 되어 있어 20~30분 정도 둘러보기 좋다.

도보 15분 ▸▸

01

02

04

한 학기 한 권 읽기 추천 도서 & 추천 콘텐츠

■■ 『갑신년의 세 친구』(안소영, 창비)

갑신년에 개혁을 준비한 세 청년, 홍영식, 김옥균, 박영효의 이야기를 다룬 역사 소설이다. 당시의 혼란스러운 상황과 고종의 불안감이 잘 드러나 아픈 역사를 돌아보고 조선의 근대화를 느껴 보기에 좋다.

■■ 「벌거벗은 한국사 — 갑신정변의 주역, 김옥균은 왜 능지처참을 당했나」(tvN STORY)

조선의 근대화를 위해 노력한 김옥균과 고종의 이야기를 이해하기 쉽게 설명한 한국사 강연 방송이다. 조선에 대한 청나라의 간섭과 임오군란, 갑신정변 등의 이야기를 통해 배경지식을 쌓을 수 있다.

■■ 『왕 곁에 잠들지 못한 왕비들』(홍미숙, 문예춘추사)

나라의 힘을 키우기 위해 노력한 명성 황후의 모습과 을미사변의 상황이 잘 담긴 책이다. 이 책에는 일본인들에게 살해된 후 시신이 불태워진 명성 황후 시해 당시의 상황이 그려진다.

■■ 드라마 『미스터 션샤인』

조선 말 고종 시대를 배경으로 한 드라마이다. 여주인공이 다닌 최초의 여학교, 고종의 예치금 증서, 서양식 호텔 등 근대화가 이루어진 조선의 모습을 살펴볼 수 있으며, 그 과정에서 조선의 주권이 흔들리는 상황 또한 확인할 수 있다.

청계천에서 만난 청년

김나현(잠실중학교)·이시진(잠실중학교)·이재호(송파중학교)
임고운(잠실중학교)·장소연(잠실중학교)

청계천로 274에서 전태일을 만나다

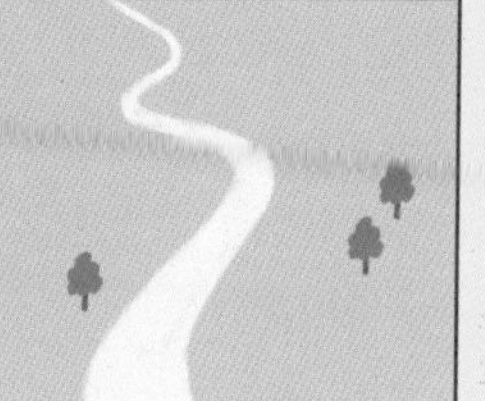

전태일 기념관 → 평화시장 → 전태일 다리 → 명보다방 → 청계천 기념관

서울의 구도심을 가로지르는 청계천을 따라 쭉 걷다 보면 평화시장을 만난다. 6·25 전쟁 직후 이곳에 터전을 잡은 실향민들이 조국의 평화 통일을 염원하며 붙인 평화시장이라는 이름. 요즘 사람들이 들으면 퍽 예스럽다고 여길 것이다. 하지만 평화시장의 노동 환경은 이름처럼 평화롭지만은 않았고, 22살의 한 청년은 노동자들의 힘겨운 현실을 바꾸기 위하여 짧은 생을 바쳤다. 하루 중 어느 때가 좀 더 낫다고 할 것도 없이 뜨거운 여름날, 더위를 무색하게 할 전태일 열사의 뜨거운 고뇌와 정신을 만난다.

#전태일 #청계천 #노동 운동 #평화시장 #열사

광화문 인근에서 시작되는 물줄기를 따라 서울 구도심을 가로질러 성동구 용답동까지 이르는 청계천로. 평소 산책하기 좋은 길 또는 다양한 볼거리가 있는 서울의 전형적인 관광지 정도로 인식되는 이곳에 우리는 22살 청년 전태일을 만나기 위해 모였다. 친구와 가볍게 수다나 떨며 걷던 이 길을 때론 지친 몸과 마음으로, 때론 비장함으로 걸었을 그를 생각하니 가슴이 먹먹해지고 평소 익숙했던 거리가 다소 생경하게 느껴지기까지 했다.

우리는 먼저 청계2가와 청계3가 사이에 있는 전태일 기념관에 방문하여 그의 삶 전반에 대해 이해하는 시간을 보내기로 했다. 그리고 그가 봉제 노동자로서 헌신한 평화시장과 전태일 다리를 거쳐, 청계천로가 거의 끝나는 지점에 자리한 청계천 박물관에서 1960~1970년대 청계천 변 도시 노동자들의 삶을 살펴보는 것으로 여정을 마무리하기로 했다. 같은 날 함께 둘러보기는 어려워 일정에서 제외했지만 G밸리 산업 박물관, 금천 순이의 집 구로 공단 노동자 생활 체험관 역시 당시에 존재한 수많은 전태일들을 만날 수 있는 장소이다.

전태일의 삶과 업적을 다룬 작품이나 텔레비전 프로그램은 최근에도 꾸준히 나오고 있다. 전태일 50주기를 기념하여 개정판으로 출간된 고 조영래 변호사의 『전태일 평전』은 인간 전태일의 삶을 입체적으로 이해하는 데 도움이 된다. 또한 이 책을 바탕으로 최호철 작가가 그린 만화 『태일이』, 2021년에 개봉한 동명의 애니메이션 「태일이」는 다양한 연령층에서 전태일이라는 인물을 좀 더 친숙하게 받아들일 수 있게 해 주어 의미가 있다. SBS 시사 교양 프로그램『꼬리에 꼬리를 무는 이야기』9회에서는 전태일의 분신 전후에 대해 다루었는데, 스토리텔링 방식을 통해 당시의 긴장감을 고스란히 전달하며, 전태일과 함께했던 동료 3명의 증언을 함께 담았다.

평상시 전태일은 우리에게 다소 무겁고 다가가기 어려운 이름이었다. 그의 이름 옆에 늘 나란히 붙는 말, '열사(烈士)' 때문이다. 나라를 위해 절의를 굳게 지키며 충성을 다하여 싸운 사람이라는 뜻의 열사. 젊은 나이에 분신이라는 쉽지 않은 방법으로 자신의 뜻을 알리고 대한민국 노동 운동사의 상징이 된 인물이니 숭고하게 느껴지는 것이 어쩌면 당연하겠다. 그러나 우리가 조우한 전태일은 그저 자신의 일을 사랑하고, 동료들을 아끼며 모두의 삶이 더 올바른 방향으로 나아갈 수 있도록 노력한 소박하고 따뜻한 22살 청년이었다.

아름다운 청년 전태일

2, 3호선 을지로3가역에 내려서 2번 출구로 나오면 청계천 양옆 도로에 차들이 지나다니는 서울 한복판을 마주하게 된다. 그리고 길 건너편에 붉은 벽돌로 쌓아 올린 웅장한 전태일 기념관이 보인다. 건물로 가까이 다가가면 벽을 뚫고 밖으로 뛰쳐나오

전태일 기념관의 붉은 벽돌 벽을 뚫고 밖으로 뛰쳐나오는 전태일과 마주한다.

는 역동적인 전태일 동상의 모습으로 그와의 첫 만남을 시작할 수 있다. 대한민국 노동 운동의 역사상 가장 상징적인 인물인 전태일의 삶 속으로 들어가 보자.

아름다운 청년 전태일 기념관은 한국 노동 운동사에서 가장 중요한 기점을 마련한 전태일의 역사적 의미를 재조명하기 위해 서울시가 건립한 노동 복합 시설이다. 전태일은 노동자가 건강하게 일하고 공부할 수 있는, 사람 중심의 세상을 만들기 위해 자신의 모든 것을 바쳤다. 그렇기에 이 기념관을 통해 전태일의 꿈이었던 사랑과 연대의 정신을 오늘날의 노동자, 청년, 시민들과 함께 나누고 실천하고자 한 것이다.

전태일 기념관은 1층부터 5층까지 있다. 그중에서 우리가 관람해 볼 수 있는 전시관은 3층에 위치한다. 엘리베이터를 타고 3층으로 올라가면 꿈터 전시실(기획 전시실)과 이음터 전시실(상설 전시실)이 있다.

꿈터 전시실에서는 전태일을 키워드로 연간 1~2회의 기획 전시를 진행한다. 이곳에서 지금 우리 시대의 전태일이 누구인지 생각해 보고, 전태일의 꿈을 상상해 볼 수 있다. 노동과 예술의 접점에서 활동하는 사람들과 새로운 노동 예술의 이야기를 공유할 수 있는 공간이다.

이음터 전시실에서는 가난했지만 배움에 행복했고 나눔을 기뻐했던 22살 청년 전태일의 삶을 들여다볼 수 있다. 이음터는 총 4부로 이루어져 있다. 1부는 전태일의 어린 시절, 2부는 전태일의 눈, 3부는 전태일의 실천, 4부는 전태일의 꿈이라는 테마로 전태일의 일대기를 일목요연하게 살펴볼 수 있다.

가난한 어린 시절, 전태일은 대구에서 부산, 다시 서울로 상경해 천막촌에서 생활했다. 제대로 된 교육을 받지 못해서 신문팔이, 구두닦이 일을 하며 5살 막내를 데리고 힘겹게 서울 생활을 했다. 그러다 흩어져 살던 가족이 다시 모이게 되고 전태일은 평화시장 견습공으로 취직했다.

하지만 그는 이런 힘든 상황에도 어린 동료 여공들을 위해 빵을 사 주고, 매일 2시간 이상 걸어서 집에 가기를 반복했다. 자신보다 남을 먼저 생각하는 이타적인 희생정신이 남달랐음을 알 수 있는 대목이다.

전태일이 몸담았던 당시 봉제 공장의 다락방을 재현해 놓은 공간에 들어가 보았다. 허리조차 제대로 펼 수 없는 공간에서 어린 노동자들이 자신의 꿈과 희망을 바쳤다고 생각하니 마음 한편이 먹먹해졌다. 동시에 자신도 편치 않은 상황 속에서 동료 노동자들의 권리를 찾아 주려던 전태일의 마음 씀씀이가 떠올라 숙연해졌다.

그러던 중 전태일은 고입 검정고시를 준비하면서 근로 기준법을 알게 되었다. 그리고 소모품으로 취급되는 노동자들의 현실에 부당함을 느끼며 1969년에 '바보회'를 결성했다. 노동자들이 바보처럼 자본가들에게 착취당하는 모습에 대한 항의의 뜻을 담은 이름이다.

바보회에 대한 소문이 퍼지자 전태일은 직장에서 해고되었고 바보회 또한 해체되고 말았다. 하지만 이듬해 9월, 바보회는 '삼동친목회'로 이름을 바꾸어 활동을 재개하고 평화시장 근로자에게 근로 조건에 대해 설문과 서명을 받아 노동청장 앞으로 보냈다. 신문사에도 같은 내용을 투고하여 평화시장의 노동 현실을 세상에 알렸다.

평화시장 측에 제출한 건의 사항은 받아들여지지 않았고, 전태일은 1970년 11월 13일 데모를 계획해 근로 기준법의 화형식을 열기로 했다. 오전부터 삼엄한 경비에 노동자들과 경찰, 평화시장 경비원들의 크고 작은 실랑이가 벌어졌고, 시위가 무산될 위기에 놓이자 전태일은 오후 2시경 석유를 온몸에 끼얹었다. 그리고 청계천 앞에서 불꽃이 되어 세상을 향해 "근로 기준법을 준수하라!", "노동자들을 혹사하지 말라!". "우리는 기계가 아니다! 일요일은 쉬게 하라!", "내 죽음을 헛되이 말라!"고 외쳤다.

전태일은 메디컬 센터에서 명동 성모 병원으로 옮겨졌지만 회생 가망이 없다는 이유로 변변한 치료를 받지 못했다. 그는 어머니에게 자신이 못다 이룬 일을 꼭 이루어 달라는 유언과 "배가 고프다."라는 마지막 말을 남기고 세상을 떠났다. 분신으로 당시 우리나라 노동자들의 어려움과 부당함을 세상에 알리고 더 나은 노동 환경을 만들려 한 그의 노력이 헛되지 않도록 그의 어머니인 이소선 여사는 전태일의 뒤를 이어 노동 운동에 뛰어들었다. 그리고 2011년 세상을 떠나기 전까지 노동 운동의 앞자리에서 아들의 뜻을 끝까지 지켰다.

전태일 다리와 명보다방

전태일 기념관을 나와 1970년대를 모자이크로 붙여 놓은 듯한 낮고 작은 상가들의 옆길을 따라 20분 남짓 걸으면 기차 여러 량을 이은 것처럼 기다란 평화시장 건물과 전태일 다리를 만날 수 있다.

지금은 평화시장의 모든 층이 상점으로 쓰이지만 전태일이 살았던 시기에는 1층에는 상점이, 2~3층에는 봉제 공장이 있었다. 당시 봉제 공장은 3미터 높이의 한 층을 복층으로 나눠 작업 공간을 만들었기 때문에 중학생 나이 정도 되는 청소년 노동자들이 앉아서도 서서도 구겨진 삶을 살아 냈을 것이다.

평화시장을 지나 전태일 기념관에서 8번째 다리인 전태일 다리로 향했다. 청년 전태일이 몸을 던져 노동자에게 희망의 불을 밝힌 장소다. 그의 동상이 다리 가운데 자리 잡았고 전태일의 분신 장소라는 동그란 석판이 놓여 있다. 마치 불씨가 아직 남은 듯 쉽게 발걸음을 떼기 힘들었다.

전태일 동상 옆으로는 그와 뜻을 함께했던 단체나 개인의 이름과 짧은 글귀가 적힌 동판들이 블록처럼 다리를 따라 빼곡히 묻혀 있다. 그 곁을 하나씩 밟아 걸으며 그들이 일구어 낸 좀 더 반

전태일의 분신 장소라는 동그란 석판에 마치 불씨가 아직 남은 듯 쉽게 발걸음을 떼기 힘들다.

듯해진 노동자의 길을 우리가 선물처럼 받았다는 사실을 떠올려 볼 수 있었다.

전태일 다리 옆 평화시장 건물 입구 오른편의 2층에는 전태일이 동료들과 함께 노동자의 미래를 그리던 명보다방이 있다. 전태일을 중심으로 한 '바보회'가 모임을 하던 곳이다. 당시의 모습을 고스란히 간직한 것처럼 보이는 외관에 세월의 손을 탄 것은 '다방'에서 '커피숍'으로 바뀐 이름뿐이었다. 이곳에서 비밀스러운 모임을 열기 위해 하루치 임금에 달하는 커피 값 50원을 손을 떨며 냈을 전태일의 모습을 상상해 보았다. 전태일 기념관에서는 마치 거인이나 비범한 장수같이 느껴지던 그가 조금은 친근한 옆집 청년이 된 것 같다.

도시 노동자의 삶을 돌아볼 수 있는 청계천 박물관

청계천 박물관은 용두역 4번 출구에서 도보 5분 정도 걸리는 곳에 있다. 4번 출구로 나와 직진하면 청계천이 보인다. 청계천을 건넌 뒤, 우회전하여 조금만 걸으면 청계천 박물관에 도착한다. 청계천의 물길을 닮은 박물관이 고가 도로와 하천 사이에서 묘한 조화를 이룬다. 박물관에 들어가기 전에 잠깐 건너편을 살펴보면 '청계천 판잣집 테마존'이라는 곳이 눈에 띈다. 불과 50여

전태일과 뜻을 함께했던 단체나 개인의 이름과 짧은 글귀가 적힌 동판들이 블록처럼 전태일 다리를 따라 빼곡히 묻혀 있다. 전태일 다리 옆 평화시장 건물 입구 오른편의 2층에는 전태일이 동료들과 함께 노동자의 미래를 그리던 명보다방이 있다.

년 전만 하더라도 이곳은 도시 노동자들의 삶의 거처인 판자촌이었다.

청계천 박물관은 2005년 9월에 개관하여 현재까지 청계천 문화를 비롯한 다양한 주제에 대한 전시를 진행한다. 전시실은 크게 기획 전시실과 상설 전시실로 구분된다. 상설 전시실에서는 청계천과 그 주변의 역사적 여정을 시대별로 전시한다. 기획 전시실에서는 시기별로 다양한 주제를 바탕으로 한 특별 전시를 진행한다. 이번 답사에서 눈여겨본 곳은 상설 전시실 2존이었다. 1960~1970년대 청계천 변 도시 빈민들의 삶의 모습을 다양한 자료와 사진을 통해 알아볼 수 있다.

「판자촌의 하루」라는 조형물을 시작으로 「도시 노동 운동, 우리는 기계가 아니다!」라는 제목의 전시물이 눈에 띈다. 청계로, 그중에서도 동대문 주변은 의류, 가발 등 소비재 산업의 중심지로서 한국 경제의 고도성장에 크게 기여했다. 하지만 그 이면에는 열악한 노동 환경에서 밤낮없이 재봉틀을 돌린 저임금 노동자들의 땀과 눈물이 얼룩져 있다.

특히 전태일이 몸담았던 평화시장은 우리나라 의류 산업의 빛과 어둠을 모두 볼 수 있는 대표적인 장소이다. 전시실에서는 당시 평화시장과 그곳에서 일하던 사람들의 모습을 살펴볼 수 있다. 환기도 제대로 되지 않는 비좁은 공장에서 12시간 이상 일하던 어린 노동자들은 점점 몸이 망가질 수밖에 없었다. 최소한의 조치도 받지 못한 채 이름 모를 수많은 노동자들이 쓰러져 갔다.

하지만 이들은 아무리 아프고 힘들어도 해고가 두려워 불평불만 한마디조차 하지 못했다. 전태일은 이들을 대신하여 상처와 눈물을 온 세상에 드러내 준 것이다.

답사의 마지막 코스인 청계천 박물관에서 청계천과 그 일대의 모습을 살펴보며 청년 전태일이 보고 느낀 것을 생생하게 공감해 볼 수 있다. 누구보다도 뜨거운 마음을 가지고 차가운 세상을 바꾸고자 했던 아름다운 청년 전태일의 마음을 답사를 통해 조금이나마 느꼈으면 하는 바람이다.

학생들과 함께 떠나기 좋은 답사 코스

아름다운 청년 전태일을 만날 수 있는 코스이다. 전태일 기념관에서 출발해 청계천을 따라 평화시장에서 청계천 박물관까지, 전태일의 삶을 따라가 보자.

난도: ★★
추천 계절: 봄, 가을
만남의 장소: 지하철 을지로3가역 2번 출구

01 전태일의 모든 것 전태일 기념관

가난했지만 배움에 행복했고 나눔을 기뻐했던 스물셋 청년 전태일의 어린 시절부터 전태일의 실천과 꿈에 이르기까지 전태일의 모든 것을 알 수 있는 장소이다.

도보 15분 ▸▸

02 태일이의 숨결이 남아 있는 평화시장

청계천 변을 따라 걷다 보면 노동자들의 삶의 터전이었던 평화시장에 도착한다. 예전의 열악한 환경은 사라졌지만 당시에 대해 이야기 나눠 볼 수 있다.

도보 45분, 대중교통 30분 ▸▸

03 어린 노동자들의 고된 삶이 타오른 전태일 다리

전태일 기념관에서 8번째 다리로 전태일이 분신한 장소다. 다리 가운데에 전태일의 반신상이 있고 분신 지점에는 동그란 석판이 놓여 있다.

도보 4분 ▸▸

04 현명한 바보들의 아지트 명보다방

평화시장 건물 입구 오른편의 2층에 위치해 있으며 전태일을 중심으로 한 '바보회' 동료들이 함께 공부하고 토론하던 장소이다.

도보 3분 ▸▸

05 청계천의 과거와 현재, 미래 청계천 박물관

시간적 여유와 체력이 있다면 답사의 마무리 코스로 추천하는 장소이다. 청계천의 역사와 옛 모습을 살펴볼 수 있다.

02

04

05

한 학기 한 권 읽기 추천 도서 & 추천 콘텐츠

■■『전태일 평전』(조영래, 아름다운전태일)

평화시장 재단사로 일하던 때부터 겪은 노동 현장의 부조리함을 해결하려는 몸부림이 깨알같이 적혀 있는 공책 7권 분량의 '전태일 일기'를 바탕으로 조영래 변호사가 쓴 책이다. 전태일에 관한 입문이자 정석으로 평가받는 책이므로 한번 읽어 볼 만하다.

■■『태일이』(글 박태옥, 그림 최호철, 돌베개)

조영래 변호사가 쓴『전태일 평전』과 전태일 수기 「내 죽음을 헛되이 말라」를 바탕으로 전태일의 삶을 다룬 만화책이다. 전체 5권으로 이루어져 있으며 전태일의 어린 시절부터 평화시장에서 분신하기까지의 이야기가 담겨 있다. 만화로 되어 있어 학생들이 친근하게 접근할 수 있다는 점도 매력적이다.

■■『땀 흘리는 소설』(김혜진 외, 창비교육)

'일과 노동'에 대한 좋은 문학 단편 소설 8편이 묶인 소설집이다. 8편의 소설이 끝날 때마다 이 소설이 시사하는 점을 독자에게 친절하게 안내하여 생각해 볼 거리가 풍부하다. 학생들과 함께 읽은 뒤 현재 우리 사회의 노동 문제에 관해 생각해 보면 의미 있는 시간이 될 것이다.

■■ 영화 「아름다운 청년 전태일」

노동자 전태일의 일대기를 영화로 재구성하였다.『전태일 평전』을 쓴 조영래 변호사를 모델로 한 '김영수'가『전태일 평전』을 준비하는 과정을 다룬다. 전태일의 이야기는 흑백으로 처리하고 현재 김영수의 이야기는 컬러로 처리하여 과거와 현재를 넘나들며 몰입감을 선사한다.

■■ 애니메이션 영화 「태일이」

애니메이션으로 더욱 친근하게 탄생한 「태일이」. 전태일을 잘 모르더라도 영화를 통해 알 수 있게 하는 친절한 서사와 전개는 물론, 선한 마음을 가졌던 인간으로서의 모습을 부각시켜 뜨거운 울림을 준다. 전태일에 대해 알기 쉽게 접근할 수 있는 영상 자료로 추천한다.

말과 글을 모으는 시간

강경일(배화여자중학교)·**문재원**(대신중학교)·**박정연**(배화여자중학교)·**이창언**(상명대학교사범대학부속여자중학교)·**주진완**(덕성여자중학교)

세종 대왕부터 주시경까지, 그리고 우리가 걸어갈 한글 가온길

조선어 학회 터 → 세종 대왕 동상, 세종 이야기 전시관 → 한글 글자 마당, 한글 분수 → 조선어 학회 한말글 수호 기념탑 → 한글 가온길 → 한글 회관 → 주시경 마당 → 국립 한글 박물관

"한국어는 현존하는 3,000개의 언어 중 고유의 사전을 가지고 있는 단 20여 개의 언어 중 하나이며, 한국은 제2차 세계 대전 후 독립한 식민지 국가들 중 거의 유일하게 자국의 언어를 온전히 회복한 나라이다."

영화 「말모이」에 나오는 이 문장을 떠올리며 한글을 만들고 지켜 온 길을 함께 걸어 본다. 지금은 우리의 문화유산 중 첫 번째로 꼽히지만, 한글을 만들고 지켜 온 과정은 너무도 험난했다. 주위의 반대와 탄압에도 불구하고 고유한 우리 것을 지키려 했던 사람들의 마음은 얼마나 뜨거웠을까? 그들이 닦아 놓은 '우리의 말과 글'이라는 터 위에 서서 오늘의 우리가 걸어야 할 길이 어디인지 생각해 본다.

#한글 #세종 대왕 #말모이 #주시경 #초정리 편지 #말을 캐는 시간

답사를 시작할 지하철 안국역 1번 출구에서 나오자 맞은편에 종로 경찰서 건물이 삭막하게 서 있었다. 이제는 완전히 철거되었지만, 조선어 학회 탄압을 주도한 일제 강점기의 그 건물이 아닌데도 이름만으로도 꺼려지는 마음이 들었다.

우리는 조선어 학회 터에서 시작해서 영화 「말모이」의 실제 배경인 화동 일대를 둘러보고, 광화문 광장으로 이동해 세종 대왕 동상과 한글 학회, 주시경 마당 등이 있는 한글 가온길을 답사하기로 했다. 그 후에는 광화문에서 점심을 먹고 지하철로 한글 박물관으로 이동해 한글이 걸어온 과거와 현재, 미래를 생각해 보기로 했다. 답사 전에 배유안의 소설 『초정리 편지』, 윤혜숙의 청소년 소설 『말을 캐는 시간』, 영화 「말모이」를 보고, 답사를 위해 김슬옹의 『역사가 숨어 있는 한글 가온길 한 바퀴』와 정재환의 『나라말이 사라진 날』을 참고했다.

우리말 최후의 보루
조선어 학회 터

조선어 학회 터를 찾아 서울 공예 박물관 옆으로 난 길을 따라 걷다 보니 안동 교회와 윤보선가가 나왔다. 벌써 영화 「말모이」의 장면으로 들어가는 듯한 착각이 들었다. 영화 「말모이」는 1940년대 우리 민족의 문화를 말살하려는 일제의 감시를 피해

『조선어 큰사전』을 만들기 위해 뛰어다니던 편찬 위원들의 노력을 담았다. 실제로는 2층 양옥집이었던 조선어 학회 건물을 중심으로 벌어진 일들인데, 영화 속에서는 '문당책방' 뒤의 밀실을 배경으로 한다. 영화 속 문당책방을 연상하게 하는 명문당 서점을 지나 한옥 건물 앞 조선어 학회 터를 표지석으로 만났다.

소설 『말을 캐는 시간』에서 배재고보 문예부 학생인 민위가 문예부 담당 교사이자 조선어 학회 회원인 박 선생님을 따라 처음으로 조선어 학회 사무실을 찾던 장면을 떠올리며 작품 속에 묘사된 건물을 찾았다. 하지만 2층 양옥 건물이라던 번듯한 조선어 학회 건물 대신 표지석과 허름한 골목으로만 그 흔적을 짐작할 수 있었다. 사무실 입구에 "일 없는 사람은 들어오지 마시고 이야기는 간단히 하시오."라는 말이 적혀 있었다는 당시의 학회 모습을 그려 보며 아쉬움을 삼켰다.

현대적 건물과 전통 한옥, 남산 타워를 한눈에 볼 수 있는 관광지로만 찾았던 북촌의 거리들이 「말모이」나 『말을 캐는 시간』의 장면들과 겹쳐진다. 정독 도서관은 영화 속 경성제일중학교로 다시 보이고, 조선어 학회 터 주변에서도 사전을 만들기 위해 원고를 정리하고 다급하게 뛰어다니던 조선어 학회 편찬 위원들의 모습이 보이는 듯했다. 조선어 학회 사건으로 옥사한 이윤재 선생이 평소에 편찬실을 찾아오던 젊은이들에게 했다는 "말과 글은 민족과 운명을 같이한다. 민족의 말과 글을 아끼고 사랑하는 것은 나라를 사랑하는 길이 되고 민족 운동이 된다."라는 말을 되새기며 우리의 말과 글을 통해 우리 민족을 지키려 했던 조선어 학회 편찬 위원들의 갈급한 마음을 짐작해 보았다.

서울의 중심에서
한글의 시작을 보다

조선어 학회 터에서 정독 도서관을 오른편에, 국립 현대 미술관을 왼편에 두고 길을 걸어 내려오면 경복궁 담벼락과 이어진다. 기와 담장 아래 그려진 단아한 문양들을 따라 걸으면 자연스레 광화문에 다다른다. 만약 학생들과 함께 경복궁 내부도 관람하고 싶다면 국립 민속 박물관 입구로 들어가 경복궁 내부를 통해 광화문으로 향하는 방법도 있다.

광화문 광장의 중심에는 한글을 창제한 세종 대왕의 동상이 건립되어 있고 광화문 광장 바닥 곳곳에는 한글 자모음들이 새겨져 있다. 숨겨진 자모음들을 찾아 걷다 보니 금세 세종 대왕 동상에 가까워졌다. 『훈민정음해례본』을 왼손에 들고 부드럽고 온화한 표정을 짓고 있는 세종의 모습에서 한글 창제에 담긴 애민 정신을 엿볼 수 있다.

소설 『초정리 편지』에는 세종 대왕이 등장한다. 아버지를 대신해 나무를 하러 산에 간 장운에게 우연히 글자를 가르쳐 주는 토끼 눈의 할아버지가 바로 세종 대왕이다. 장운은 그렇게 배운 글자를 주변 사람들에게도 가르쳐 주고 실생활에 활발하게 적용한다. 장운을 바라보던 토끼 눈 할아버지의 흐뭇한 표정이 광화문 광장에 있는 세종 대왕 동상의 온화한 미소와 맞닿아 있다.

동상 앞 편에는 훈민정음 원문과 해석문, 여러 과학 발명품들이 있고, 세종이 만든 한글 자모음을 따라 동상 뒤편으로 가면 지하에 1,000평 규모의 세종 이야기 전시관 입구가 있다. 12개의 테마로 이루어진 세종 이야기관에서는 멀티미디어를 이용하여 한글 창제 과정과 훈민정음, 세종의 삶과 정치, 음악 등 다양한 면모를 살펴볼 수 있다. 세종은 백성들의 말을 최우선으로 생각하고 귀 기울였던 성군이었다. 그의 마음이 전해지듯 세종 이야기관은 '소통'에 초점이 맞추어져 있다. 세종에게 질문하고 답변을 들을 수 있는 대화의 관, 바닥을 밟으며 세종의 명언을 찾을 수 있는 쌍방향 전시도 체험해 볼 수 있다. 자신의 생일을 말하면 순우리말로 포토 존이 만들어지는 디스플레이에서 아이들과 사진을 찍으며 활동하기에도 좋다.

세종 대왕 동상에서 왼편으로 나오면, 세종 문화 회관 옆 작은 공원이 보인다. 이곳에는 '한글 글자 마당'이 조성되어 있는데, 한글 초성, 중성, 종성으로 조합 가능한 1만 1,172자를 1만 1,172명의 국민이 직접 한 자씩 쓰고 글자들을 새긴 돌들이 놓여 있다. 우리가 이 모든 글자들을 사용하지는 않지만, 한글이 그만큼 많은 소리를 나타낼 수 있는 글자임을 상징적으로 증명하는 공간이다. 광화문역 9번 출구 앞에 있는 분수 또한 관람하기에 좋

소설『초정리 편지』에서 장운에게 우연히 글자를 가르쳐 준 토끼 눈의 할아버지가 바로 세종 대왕이다. 장운을 바라보던 흐뭇한 표정이 광화문 세종 대왕 동상의 온화한 미소와 맞닿아 있다.

은 코스이다. '한글 분수'로 불리는 이 분수는 위에서 보았을 때 그 진가가 드러나는데, 훈민정음 창제 당시의 자모음 모양으로 물줄기를 내뿜는다.

말을 지키던 걸음걸음을 따라서

한글 글자 마당에서 외교부 건물 쪽을 바라보면 세종로 공원 가장 안쪽에 청동으로 만든 탑 하나가 우뚝 서 있는데, 그것이 바로 조선어 학회 한말글 수호 기념탑이다. 일제 강점기 때 목숨을 걸고 한글을 지킨 조선어 학회 33인의 노고를 기리고자 세운 탑이다.

탑 옆에는 조선어 학회의 한말글 수호 투쟁기와 독립운동가 이인 선생의 전기문 일부가 기록돼 있다. 일제의 식민 통치 시기에 갖은 고문을 당하면서도 우리말과 글을 끝까지 지켰던 피나는 노력이 이곳에 기록되어 있었다. 우리는 조선어 학회 사건으로 투옥된 33인의 이름과 조선어 학회의 사전 편찬 작업에 도움을 주신 분들의 이름을 모두 불러 보았다.

다음 장소인 한글 회관으로 이동하는 거리에는 '한글 가온길'답게 한글과 관련된 한글 자모들이 여기저기 숨겨져 있었다. 먼저 세종 문화 회관 뒤편 예술의 정원에는 「서울의 미소」라는 작품이 있다. 'ㅎ(히읗)'을 길게 연결해 '하하하'라는 기분 좋은 웃음 소리가 연상된다. 윤동주의 「서시」를 곧은 자세로 읽고 있는 여인과 박목월의 「나그네」가 적힌 비석, 여러 가지 초성을 조합해 '안녕하세요.'를 표현한 조명도 눈에 띈다.

세종대로를 따라 100미터 정도 올라가다 왼쪽으로 길을 꺾으면 벽돌색 건물의 한글 회관 건물이 보인다. 한글 회관 건물 입구에는 주시경 선생의 흉상이 있다. 1908년 주시경 선생은 국어 연구에 뜻을 같이하는 사람들과 '국어 연구 학회'를 창립하였으나 국권을 빼앗긴 뒤부터는 우리말에 '국어'라는 이름을 붙이지 못해 '배달말글몬음'으로 이름을 바꾸었다. 그 후 '한글모', '조선어 연구회'를 거쳐 1931년 조선어 학회로 개칭했고 해방 후에는 다시 '한글 학회'로 이름을 바꿔 지금에 이른다.

오랜 시간 동안 우리말과 우리글을 위해 다양한 활동을 한 단체인 만큼 1층 로비에는 한글과 관련된 책자와 한글 관련 행사 안내, 한글 모양을 본뜬 액자들이 전시되어 있다. 한글 회관에서는 학생들과 마음먹기에 따라 다양한 활동이 가능하다. 먼저 1층에 전시된 사람 모양 한글을 해석해 보는 활동을 진행해 볼 수 있다. 건물 외관을 둘러보면서 숨은 글자들을 찾아보는 것도 의미 있을 것이다.

이제 한글 가온길의 마지막 코스인 주시경 마당으로 걸음을 옮겨 보았다. 주시경 마당은 한글 회관에서 길을 건너 150미터 정도 직선거리로 올라가면 나온다. 도심 속 작은 녹음이 푸르게 우

한글 회관 입구에는 주시경 선생의 흉상이 있다.

거져 있는 이곳은 한글 가온길의 마지막 코스이기도 하고, 조용하고 아늑하기에 학생들에게 주시경과 헐버트의 생애를 천천히 설명해 주기에 좋다.

18세의 주시경은 배재학당에서 서툰 조선말로 언문(한글)을 가르치고 있는 미국인 선생 헐버트를 만나고 스스로 부끄러움을 느껴 한글을 탐독하기 시작했다. 그 후 헐버트는 서재필과 함께 창간한 『독립신문』의 국문판 책임 편집자로 주시경을 임명했다. 전시된 헐버트의 조각상을 자세히 보면 최초의 한글 교과서인 『사민필지』를 들고 있다. '한국인보다 한글을 더 사랑한 미국인'이라는 수식어처럼 그는 전 생애 동안 한국어 연구와 보급에 앞장섰으며 한국의 독립운동을 적극 지원하기도 했다.

일상에서 외래어와 은어, 비속어의 사용은 늘어만 가고 우리말보다는 영어나 중국어를 공부하는 것이 더 낫다는 이야기도 농담처럼 들린다. 그렇기에 우리의 말과 글을 아끼고 지키기 위해 노력해 온 이들의 모습을 다시 한번 기억하는 것에 한글 가온길 탐방의 의미가 있지 않을까.

한글의 어제, 오늘, 그리고 내일
국립 한글 박물관

지하철 4호선 이촌역 2번 출구에서 국립 중앙 박물관을 지나 조금 더 걸어가면 깔끔하게 자리 잡은 기하학적 형태의 국립 한글 박물관이 그 모습을 드러낸다. 우리는 먼저 2층 상설 전시실에서 한글의 발자취를 살펴보기로 했다. 상설 전시실은 훈민정음의 머리말 문장을 재해석한 7개 주제로 구성하여, 한글이 없던 시절부터 오늘날 한글문화까지, 그 역사를 살펴볼 수 있는 공간이다.

1부부터 7부까지 전시실을 천천히 돌아보면서, 훈민정음이 만들어진 배경과 원리, 실제 사용 예시가 담긴 『훈민정음해례본』과 『훈민정음언해』, 역대 시조를 수집하여 펴낸 『청구영언』, 최초의 국문 소설 「홍길동전」 등 우리에게 조금은 친숙한 자료들과 만나는 반가움을 느낄 수 있었다.

이 외에도 전염병의 증상과 치료법이 담긴 『간이벽온방언해』, 우리나라 최초의 무예서인 『무예제보언해』 등 낯선 한글 자료들과 정조가 쓴 한글 편지를 모아 놓은 편지첩, 양반이 노비에게 쓴 한글 편지, 여러 가지 사연의 한글 문서들, 한글로 쓴 요리책, 한글로 된 점 보는 책, 『말모이』 원고 등 우리가 상상한 것보다 훨씬 많은 자료를 만날 수 있었다. 충분히 관람하려면 한나절 정도 시간을 따로 내어 국립 한글 박물관 답사 코스를 짜는 것도 좋겠다.

우리의 삶을 참으로 편하고 윤택하게 해 준 한글, 그러나 너무 가까이 있어 그 소중함을 잊고 있었던 것은 아닌지 생각해 보는 의미 있는 여정을 끝내며 전시실 벽에 새겨진 "소리는 있으나 글자가 없어 글로 통하기 어렵더니 우리나라 오랜 역사에 어둠을 밝히셨도다."라는 말을 다시 읽어 보았다. 그리고 한글이 밝게 걸어갈 앞날에 대한 희망으로 답사를 마무리 지었다.

학생들과 함께 떠나기 좋은 답사 코스

우리의 말과 글이 걸어온 길과 소중함을 느낄 수 있는 코스이다. 날씨와 답사 내용을 모두 고려할 때 한글날 즈음에 답사를 진행하는 게 가장 좋다.

난도: ★★
추천 계절: 가을
만남의 장소: 지하철 3호선 안국역 1번 출구 또는 정독 도서관 잔디 마당

01 우리말 최후의 보루 조선어 학회 터

표지판만 남아 있어 실망할 수도 있다. 목숨을 걸고 『조선어 큰사전』 원고를 모으던 장소라는 설명과 함께 2층 건물 안에서의 긴장된 숨결을 느껴 보자.

도보 15분 ▸▸

02 백성의 말에 귀를 기울인 임금 세종 대왕 동상

조선어 학회 터에서 출발하는 코스가 어렵다면 이곳에서 모여 답사를 시작해도 좋다. 인원이 적다면 함께 움직이고 많다면 모둠별로 활동을 진행할 수 있다.

도보 3분 ▸▸

03 한글 글자 마당 한글 분수

한글 글자 마당은 세종 문화 회관 옆 작은 공원에 있으며 한글 분수는 광화문역 9번 출구 앞에 있다. 다양하게 표현되는 한글을 접해 보고 창작물을 직접 구상해 볼 수 있다.

도보 3분 ▸▸

04 조선어 학회 한말글 수호 기념탑

한글 글자 마당에서 외교부 쪽으로 가장 안쪽 공원에 위치해 있다. 조선어 학회 사건으로 투옥된 33인의 정신과 의지를 떠올려 볼 수 있는 곳이다.

도보 3분 ▸▸

05 말을 지키는 걸음걸음 한글 가온길

한글 글자 마당에서 한글 회관으로 이동하는 거리 곳곳에 한글 가온길다운 조형물들이 설치되어 있다. 주변을 잘 살펴 숨은 한글들을 찾아내는 재미를 느낄 수 있다.

도보 10분 ▸▸

06 21세기 조선어 학회 한글 회관

한글 학회가 자리하는 한글 회관 1층에서 다양한 활동을 해 볼 수 있다. '한글'이라는 우리말의 이름을 짓고 한글을 향한 신념을 지켰던 주시경 선생을 만날 수 있다.

도보 3분 ▸▸

07 우리 말글을 사랑한 사람들 주시경 마당

주시경 선생의 스승인 헐버트 동상이 서 있는 작은 공원에서 두 사람의 업적을 생각해 보고 '세종 예술의 정원'도 들러 볼 수 있다.

대중교통 40분 ▸▸

08 훈민정음, 천년의 문자 계획 국립 한글 박물관

그야말로 한글의 모든 것을 한 번에 볼 수 있는 곳이다. 7마당의 전시를 따라가다 보면 자연스레 우리 글에 대한 자부심이 생긴다.

대중교통 45분 ▸▸

한 학기 한 권 읽기 추천 도서 & 추천 콘텐츠

■■『초정리 편지』(배유안, 창비)

초등 고학년을 대상으로 하는 소설이라 서사가 복잡하지 않아 책 읽기를 어려워하는 학생들도 쉽게 읽을 수 있다. '장운'의 삶을 따라가다 보면 한글이 얼마나 배우기 쉽고 실용적인지 자연스레 느끼게 된다. 더불어 한글의 실용성에 대한 검증으로 사대부들의 반대를 뚫고자 했던 세종의 고독한 의지도 엿볼 수 있다.

■■『말을 캐는 시간』(윤혜숙, 서해문집)

학년에 상관없이 중학생이라면 어렵지 않게 읽을 수 있다. 영화 「말모이」가 '조선말 큰사전' 기획의 어른판이라면 이 소설은 청소년판이라 할 수 있다. 그래서 더 몰입하고 공감한다. 이 책의 감상과 함께한다면 답사 때 힘들다는 학생들의 투덜거림이 반으로 줄 것이다.

■■『나라말이 사라진 날』(정재환, 생각정원)

조선어 학회 활동이 말 지키기를 넘어 일제 강점기의 고통을 견뎌 내는 용기와 미래에 대한 민족적 희망을 그리는 위대한 투쟁이었음을 확인할 수 있다. 허구가 아닌 실제 인물과 사건의 진행을 확인하고 싶을 때 해당 부분만 찾아봐도 좋다. 작가가 직접 책에 대해 설명한 3부작의 유튜브 영상도 참고해 보자.

■■ 영화 「말모이」

우리글을 다룬 영화가 있어 다행이다. 당연한 듯 쓰고 있는 우리말과 글이 소중하게 느껴지는 영화다. 『말을 캐는 시간』과 엮어 읽기를 하면 소중함은 더 커진다. 정서적 감동을 충분히 나눈 후 서사적 재미를 위해 허구로 진행된 부분을 짚으며 실제 과정이나 인물 이야기를 설명해 주어도 좋다.

■■『역사가 숨어 있는 한글 가온길 한 바퀴』(김슬옹, 해와나무)

초등학생용 답사 길라잡이다. 짧은 글과 만화로 구성되어 있고 삽화가 많아 답사 전 참고하면 좋다.

남한 산성에서 일어난 일

권구(배재중학교)·노상혁(배재중학교)·송희연(현송중학교)
오윤주(수일여자중학교)·이숙연(운양고등학교)

「박씨전」, 그리고 병자호란

행궁 → 북문 → 서문 → 수어장대 → 남문

남한산성은 병자호란의 기억을 가장 구체적이고 함축적으로 담고 있는 공간이다. 우리 민족에게 뼈아픈 역사로 남은 고난의 시공간 속을 더듬으며 걸어 보자. 그리고 당대 사람들이 어떤 방식으로 역사적 상처의 시간을 기억하고 의미화했는지, 병자호란을 다룬 대표적인 문학 작품 「박씨전」을 통해 알아보자.

#남한산성 #병자호란 #박씨전 #삼전도의 굴욕 #인조

산성은 적의 공격을 방어하기 위해 산의 지형을 이용하여 쌓은 성이다. 평상시에는 곡식과 무기를 보관하고, 적이 침입하면 평지의 주민들을 성안으로 들어오게 하여 적으로부터 보호하는 역할을 했다. 우리나라에는 산지 지형이 많은 만큼 산성이 매우 많았다. 그중에서도 남한산성은 적이 침입했을 때 왕실이 피신해 올 수 있는 곳으로 만들어졌다. 남한산성 안에 있는 행궁은 실제로 병자호란 당시에 인조가 기거하는 곳으로 사용되었다.

병자호란이 발발하자 인조는 강화도로 옮겨 가고자 했지만, 적의 공격 속도가 빨라 강화도로 가는 길이 막히자 어쩔 수 없이 차선책인 남한산성으로 피란했다. 남한산성에서 인조 정부는 청의 대군에 맞서 47일을 버텼다. 곡식이 부족하고 청의 기세가 강해 하는 수 없이 굴복하긴 했으나, 청이 무력으로 성을 함락한 것은 아니었다. 그만큼 남한산성은 견고하고 단단한 요새였던 것이다. 이번 답사에서는 전쟁의 고통과 역사의 시간이 담긴 남한산성의 주요 코스를 돌아보기로 했다.

왕의 임시 거처였던 행궁

"일의 형세가 급하니, 남한산성으로 옮기시는 것이 좋을 듯하옵니다."

우의정 이시백의 말을 듣고 임금은 즉시 옥교를 타고 남문으

로 빠져나왔다. 몇 번의 접전 끝에 겨우 복병을 물리치고 길을
열어 임금 일행은 무사히 남한산성으로 들어갈 수 있었다.

– 「박씨전」 중

인조 14년(1636년) 10월, 후금의 태종 홍타이지가 국호를 청으로 바꾸고 조선에 군신 관계를 요구했고, 조선이 이를 거부하자 침략을 시작했다. 인조와 소현 세자, 많은 신하들은 강화도로 피란하려 했으나 이미 청나라 군에 의해 도로가 막혀 있어 남한산성으로 올 수밖에 없었다. 그때 임금과 그의 일행이 남한산성으로 들어가 머무른 곳이 행궁이다.

행궁은 임금이 서울의 궁궐을 떠나 도성 밖으로 행차하는 경우에 임시로 거처하는 곳을 말한다. 남한산성 행궁은 전쟁이나 내란 등이 일어났을 때 후방의 지원군이 도착할 때까지 한양 도성의 궁궐을 대신할 피란처로 사용하기 위해 건립되었다. 그리고 실제로 인조 14년(1636년)에 병자호란이 발생하자 이곳에서 47일간 항전한 것이다.

『중정남한지(重訂南漢誌)』에 따르면 남한산성 행궁은 인조 3년(1925년)에 건립되었다. 서울 중심가의 여타 궁궐보다는 작지만, 임금이 생활할 곳이기에 임금의 거처로서 갖출 것은 다 있었다. 경내에는 내행전(상궐)과 외행전(하궐)이 있다. 동서로 세 구역으로 나뉘며 문이 3개로, 규모는 작아도 조선의 정궁인 경복궁의 모습을 따랐다. 평상시에는 광주 지방관의 집무실로 사용하였고, 전

란 때는 임금과 조정의 피란처이자 항쟁의 지휘부가 되었다.

서울의 궁궐과 달리 산을 깎아 만들어서 그런지 행궁 안으로 들어갈수록 경사가 높았다. 행궁 끝에 있는 후원에서 아래를 내려다보면 행궁의 모습이 한눈에 들어와 감탄할 수밖에 없었다.

병자호란 당시 급박했던 전시 상황에 분주했을 임금과 신하들의 모습을 상상하며 본격적으로 남한산성을 답사하기 위해 행궁을 나왔다.

남한산성 탐방로는 총 5개의 코스로 되어 있다. 여러 코스 중 우리는 1 코스를 탐방하기로 했다. 1 코스를 선택한 이유는 학생

남한산성 안에 있는 행궁은 실제로 병자호란 당시에 인조가 옮겨 와 기거한 곳이다.

들이 문학 답사를 왔다고 가정했을 때 남한산성을 잘 살펴볼 수 있고 가장 걷기 좋은 코스이기 때문이다.

1 코스는 전체가 약 3.8킬로미터 정도이고, 소요 시간은 1시간 20분 정도 걸린다. 자세한 코스는 산성 로터리 - 북문(0.4킬로미터) - 서문(1.1킬로미터) - 수어장대(0.6킬로미터) - 영춘정(0.3킬로미터) - 남문(0.7킬로미터) - 산성 로터리(0.7킬로미터)이다.

코스를 돌며 산성 성곽을 따라 성안에 살았던 평범한 백성들의 생활은 어땠을까 하는 생각을 해 보았다. 이에 대한 답은 김훈의 소설 『남한산성』에서 살펴볼 수 있다. 소설 『남한산성』에 등장하는 서날쇠는 백성을 대표하는 인물이다. 작가는 병자호란 당시 천민이었던 실존 인물 서흔남을 모델로 삼아 이야기를 만들었다. 그는 남한산성이 포위되자 연락병으로 자원하여 각종 신분으로 변장하고, 외부로 드나들며 소식을 전한 인물이다. 병자호란 때 뛰어난 활약을 펼쳐 벼슬을 얻고, 임금의 곤룡포를 하사받기도 했다.

병자호란 당시에 일어난 일들을 기록한 『병자록』과 『산성일기』에는 가마니 한 장으로 추위를 버티며 밤새 성을 지키는 군사들의 모습도 등장한다. 또 줄기차게 내리는 겨울비에 얼어 죽은 군사들이 있었다고 기록되어 있다.

고립된 산성 안에서 식량은 급격히 줄어들었고, 산성에 갇힌 지 26일이 되었을 때는 왕도 죽 한 그릇으로 하루를 버텨야 했다. 백성들의 굶주림이 점점 더 심해졌으며, 굶어 죽는 사람들이 늘어나고 성 위의 군졸 중 탈영병도 생겨났다. 성안에서 적군과 대치하며 수많은 군사가 죽었고, 성안 백성들은 전쟁에 따른 불안과 공포에 떨어야 했다.

패전의 아픈 역사가 어린 북문

산성 로터리에서 북문까지는 사실 경사만 조금 높았을 뿐 길이 거의 다 포장되어 있어 둘레길 산책 코스처럼 느껴졌다. 하지만 더운 여름에 오르게 된다면 얼음물 정도는 꼭 챙겨야 한다. 걷기 시작해서 얼마 지나지 않아 북문을 만날 수 있다. 이곳은 사실 다른 성문들에 비해 조금 작아 보이지만 외적이 쳐들어온다면 1순위로 지켜야 하는 곳이었을 것이다. 병자호란 당시 성문을 지키며 두려움에 떨던 병사들의 모습이 그려지는 곳이기도 하다.

> 이때 임금이 있는 남한산성에는 오랑캐들이 물밀듯 밀려와 공격을 퍼부었다. 창칼 부딪치는 소리가 산성을 뒤흔들었다.
>
> – 「박씨전」 중

병자호란 당시 오랑캐들은 사방에서 남한산성을 공격해 왔다. 갇힌 성안에서 김류가 지휘하는 정예병 300여 명이 북문을 열고 나가 싸웠다. 하지만 김류의 군사는 전멸했다. 병자호란 당시 남한산성에서 있었던 최대의 전투이자 최대의 참패였다.

북문은 인조 2년(1624년)에 신축되었던 것으로 보이는데 병자호란이 끝나고 정조 3년(1779년)에 성곽을 개보수할 때 '완전한 승리를 염원한다.'라는 뜻을 담아 '전승문(全勝門)'이라 이름 붙였다. 병자호란 당시 가장 큰 패전을 잊지 말자는 뜻에서 붙인 이름이기도 하다.

북문에서 조금 더 오르막길을 걷다 보면 곧 서문을 만날 수 있다. 서문으로 가는 길 오른편으로 남한산성 성벽을 볼 수 있는데 그곳에서 서울과 광주, 남양주 일대가 다 보였다. 지금이야 외적의 침입에 대한 걱정 없이 주변의 경치를 즐기며 기분 좋게 올라가지만, 병자호란 당시 성벽에서 적의 동태를 살피던 병사들은 아주 가까운 곳부터 저 멀리까지 끝도 없이 이어지는 외적의 행렬을 보며 얼마나 큰 공포감을 느꼈을까. 외적과 담판을 짓겠다는 마음을 지닌 용감한 군인도 당연히 있었겠지만, 평생 무기라고는 한 번도 잡아 보지 못한 채 징집된 평범한 백성은 지키지 않으면 뺏길 수밖에 없는 현실을 느끼며 두려움 속에서 이를 꽉 물었을지도 모른다.

인조가 남한산성으로 간 뒤, 청군은 강화도로 피신한 왕족을 잡기 위해 강화도를 공격했다. 결국 강화도가 함락되어 왕족들이 포로가 되자 인조는 청 태종에게 항복하기로 했다.

서문인 산성의 서쪽 사면은 경사가 심해 우마차가 다닐 수 없지만 송파, 광진 방면으로 가는 가장 빠른 길이다. 서문은 인조

북문에서 서문으로 가는 길 오른편으로 남한산성 성벽을 볼 수 있는데 거기에서 서울과 광주, 남양주 일대가 다 내려다 보인다.

15년(1637년) 1월 30일 아침에 임금과 세자와 신료들이 청나라에 투항하기 위해 성 밖으로 나설 때 지나간, 역사적으로 슬픈 문이기도 하다.

인조는 남한산성을 벗어나 지금의 송파구 삼전동인 한강 상류의 나루, 삼전도로 가서 곤룡포를 벗고 적들 앞에서 청 황제를 향해 3번 절하고 9번 머리를 조아리는 '삼전도의 굴욕'을 당했다. 조선과 청은 신하와 임금의 관계를 맺었고, 소현 세자와 봉림 대군, 많은 대신과 백성이 청에 인질로 끌려갔다. 병자호란은 여러 항전 끝에 결국 청나라에게 패하고 만 전쟁이었다.

승전을 상상해 보는 수어장대

수어장대는 산성 안에서 최고봉인 일장산 꼭대기에 자리 잡아서 성 내부와 주변까지 바라볼 수 있다. 건물의 바깥쪽 면에는 '수어장대'라는 현판이, 안쪽에는 '무망루(無忘樓)'라는 현판이 걸려 있는데, 무망루란 병자호란 때 인조가 겪은 시련과 아들 효종이 청나라에 복수하고자 북쪽 땅을 빼앗으려다가 실패하고 죽은 비통함을 잊지 말자는 뜻에서 붙인 이름이다. 높은 곳이라고 하나 도로 포장이 잘 되어 있고, 그렇게 가파르지 않아 다행히 다른 곳들처럼 산책하는 기분으로 오를 수 있다. 이곳에 오르면 등산객들이 햇볕을 피해 잠시 앉았다 갈 수 있는 평지도 있고, 사적 제57호 남한산성이라고 적힌 비석도 있어 기념사진도 찍을 수 있다.

남한산성에서 가장 높고 화려한 수어장대에 오르니, 병자호란이 패배가 아니라 승리로 이어졌다면 어땠을까 상상해 보게 되었다. 고전 소설 「박씨전」에는 실제 역사와 달리 박씨 부인의 활약으로 청나라와의 전쟁에서 큰 승리를 거두는 이야기가 펼쳐진다. 박씨 부인은 마음만 먹으면 청나라 군인들을 다 쓸어버릴 수 있는 도술을 가졌으며 청나라 장수 용골대와 용울대 형제를 단박에 제압한다.

> 이때, 박씨 부인이 옥으로 된 발을 걷고 나와 손에 옥화선을 쥐고 불을 향해 부쳤다. 그러자 갑자기 큰 바람이 불면서 불기운이 오히려 오랑캐 진영을 덮쳤다. 오랑캐 장졸들이 불꽃 한가운데에서 천지를 분별하지 못한 채 넋을 잃고 허둥거리다가 무수히 짓밟혀 죽었다.
>
> – 「박씨전」 중

「박씨전」의 작자가 누구인지 알 수 없지만, 이 소설을 읽은 백성들은 소설을 통해 당시의 처절하고 아픈 기억을 잠시나마 위로받았을 것이다. 어쩌면 문학적 상상 속에서나마 청나라에 복수하고자 한 당대 민중의 소망을 반영해 소설이 만들어졌을지도 모른다. 박씨 부인이 수어장대에 올라 군사를 지휘했다고는 나

남한산성에서 가장 높고 화려한 수어장대에 올라 박씨 부인이 군사들을 지휘해 승전을 이끌고 오랑캐군에게 호통치는 모습을 상상해 본다.

오지 않지만, 상상력을 더해 수어장대에서 군사들을 지휘하고, 오랑캐군에게 호통치는 모습을 떠올려 보는 것도 좋겠다.

왕이 산성으로 들어온 길, 남문

수어장대를 나오면 내리막길이 시작된다. 내려가는 길에 영춘정을 볼 수 있다. 영춘정은 봄을 맞이한다는 이름의 뜻처럼 여느 정자보다 화려했다. 영춘정에 오르면 정자와 어우러진 주변의 멋진 경치를 덤으로 볼 수 있다.

남문으로 내려가기 전에 암문도 만날 수 있다. 우리가 본 제6 암문은 적의 관측이 어려운 곳에 설치한 성문으로, 일종의 비밀

남문으로 내려가기 전 제6 암문은 적이 잘 찾을 수 없게 설치한 성문으로, 일종의 비밀 통로이다. 실제로 이곳에서 한밤중에 습격해 온 청나라 병사들을 크게 물리친 적이 있다.

통로이다. 따라서 크기도 작고, 적에게 쉽게 식별될 수 없도록 별다른 시설도 두지 않았다. 실제로 이곳을 통해 한밤중에 습격해 온 청나라 병사들을 크게 물리친 적이 있어서 암문 부근을 '서암문 파적지'라고도 부른다.

산성 로터리로 나오기 직전에 마지막으로 남문을 볼 수 있다. 남문은 산성의 정문으로, 정조 3년(1779년) 성곽을 개축하면서 '지화문'으로 이름을 바꾸었다. 인조가 병자호란 당시 남한산성으로 들어온 문이기도 하다.

뼈아픈 역사를 간직한 남한산성이지만 문화유산으로서는 높은 가치를 지닌다. 산성 건축 자체의 가치는 물론 마을과 종묘사직을 갖춘 역사성도 인정받아 2014년 6월, 유네스코 세계 문화유산으로 등재되었다.

우리는 보통 문화재를 통해 과거의 찬란한 영광을 보고 싶어 한다. 하지만 남한산성은 외적의 침입을 막으며 나라와 스스로를 구하려 한 백성들의 처절한 모습을 볼 수 있는 곳이다. 아름다운 산성의 풍경 속에서 나라를 잃는 아픔과 평화를 되찾고자 한 간절한 염원을 떠올려 볼 수 있을 것이다.

학생들과 함께 떠나기 좋은 답사 코스

남한산성의 5코스 중 방어 요새로서의 특성을 살펴볼 수 있는 1 코스와 행궁을 함께 살펴본다. 세계 문화유산의 가치, 산성의 운치를 함께 느껴 보자.

난도: ★★★
추천 계절: 봄, 가을
만남의 장소: 남한산성 매표소(8호선 남한산성입구역 2번 출구에서 버스로 약 1시간 소요)

01 왕의 임시 거처였던 행궁

행궁 입구의 한남루를 지나 외행전, 내행전, 좌승당, 일장각, 이위정, 영녕전 등의 건물을 둘러본다. 행궁에 대한 해설도 들을 수 있으니 해설 시간에 맞춰 가는 것이 좋다.

도보 11분 ▸▸

02 패전의 아픈 역사가 어린 북문(전승문)

국청사 방면으로 올라가면 북문이 나온다. 병자호란 당시 가장 큰 패전이 있었던 장소이며, 그 사실을 잊지 말자는 뜻에서 전승문이라는 이름이 붙여졌다.

도보 22분 ▸▸

03 삼전도로 향한 치욕의 길 서문(우익문)

47일간의 항전 끝에 항복을 결정한 인조 임금이 서문으로 나와 삼전도로 향한 슬픈 역사를 생각해 볼 수 있다. 야경 명소로도 유명한 서문 전망대에서 롯데 월드 타워와 서울 풍경도 감상해 보자.

도보 12분 ▸▸

04 승전을 상상해 보는 수어장대

지휘와 관측을 위한 군사적 목적으로 지은 누각이다. 남한산성의 5개의 장대 중 유일하게 남아 있으며, 성안의 건물 중 가장 화려하고 웅장하다. 수치를 잊지 말자는 뜻의 무망루라는 현판이 걸려 있다.

▸ 도보 29분

05 왕이 산성으로 들어온 길 남문(지화문)

수어장대를 지나 내려오면 남문을 거치게 된다. 병자호란 당시 인조가 남한산성에 들어온 문이다. 남한산성의 4개의 문 중 가장 크고 웅장한 중심문으로 출입이 가장 많은 곳이다.

도보 30분 ▸▸

01

04

05

한 학기 한 권 읽기 추천 도서 & 추천 콘텐츠

■■ 『남한산성』(김훈, 학고재)

이 소설은 1636년 청의 공격 당시 남한산성으로 간 임금과 신하들의 이야기를 다룬다. 47일간 남한산성에 고립된 상황에서 신하들은 명분이냐, 목숨이냐를 두고 팽팽한 의견 대립을 보인다. 쉽지 않은 결정 앞에 오늘날의 독자들도 함께 깊은 고민에 빠지게 된다. 「박씨전」과 견주어 읽으면서 두 작품이 같은 전쟁을 어떤 방식으로 다루고 있는지 토의해 보는 것도 좋겠다.

■■ 영화 「남한산성」

소설 『남한산성』의 풍경을 고스란히 영상으로 옮겼다. 눈이 많이 내렸던 겨울, 임금과 신하들의 고뇌와 번민과 함께 얼어붙은 성벽 위에서 맨몸으로 적을 마주해야 했던 백성들의 고난이 생생하게 담겨 있다. 소설의 형상화 방식과 영화의 접근 방식이 어떻게 비슷하고 다른지를 비교해 보면서 서사 장르를 더욱 깊이 이해할 수 있다.

■■ 『산성일기』(작자 미상, 서해문집)

병자호란 당시 남한산성에서 47일간 있었던 일들을 일기체 형식으로 써 내려간 작자 미상의 수필이다. 청군에 포위된 상태에서 처절한 항전을 벌이고 결국 굴욕적인 삼전도의 수모를 당하기까지의 과정을 그린다. 「박씨전」의 바탕이 되는 역사적 정황을 생생하고 객관적인 서술을 통해 들여다볼 수 있다.

■■ 영화 「올빼미」

삼전도의 굴욕을 겪은 뒤 조선 사회는 어떤 변화를 겪었을까. 이 영화는 병자호란 이후 청에 대한 깊은 원한을 갖게 된 인조와 청에 볼모로 잡혀가 8년간 지내면서 새로운 문물을 접하고 돌아온 소현 세자 사이의 갈등을 허구적 상상을 덧붙여 그려 보인다. 역사적 맥락에서 드러난 진실과 감추어진 진실을 예술적 상상력을 빌어 흥미진진하게 탐색하는 작품이다.

아치울 마을의 노란 집

권혜윤(강남중학교)·백지숙(신일중학교)·서현희(내정중학교)
이지희(연서중학교)·조경진(양곡중학교)

박완서 작가를 찾아 떠난 길

아치울 마을 → 노란 집 → 인창 도서관 → 구리 아트 홀

그동안 너무 익숙해져서, 혹은 너무 흔해져서 잊고 지낸 우리 삶의 면면이 얼마나 많을지 박완서 작가의 흔적을 찾아다니며 반성했다. 복잡한 삶 속에서 작가처럼 세상이나 사람에 흔들리지 않는 균형과 평정을 지키려면 어떻게 해야 할까? 여정 중간중간 들리는 박완서 작가의 다정하고도 단호한 목소리를 따라가 보자. 지름길은 찾지 못하더라도 올바른 방향으로 뻗어 나가는 정결한 길은 찾을 수 있을 것이다.

#박완서 #경기 구리 #노란 집 #그 많던 싱아는 누가 다 먹었을까 #자전거 도둑

우리는 경기도 구리에서 박완서 작가의 흔적을 찾고자 작가의 마지막 보금자리인 '노란 집'이 있는 아치울 마을부터 박완서 자료실이 마련된 인창 도서관을 거쳐 작가를 추모하는 공연이 매년 열리는 구리 아트 홀까지 둘러보기로 했다. 답사 전에 중학교 국어 교과서에 수록된 박완서 작가의 소설 「자전거 도둑」과 「그 많던 싱아는 누가 다 먹었을까」를 비롯하여 세상을 향한 작가의 날카롭고도 따뜻한 시선이 묻어나는 여러 참고 작품을 살폈다.

사실 박완서 작가는 서울에 가장 오래 살았기 때문에 작가의 흔적을 찾을 코스를 경기도 구리로 정하는 것이 맞을까 한참을 고민했다. 그러나 작가가 생의 마지막 시간을 보낸 아치울 마을의 고즈넉한 분위기와 노란 집에 밴 작가의 다정한 손길을 느낀 순간, 우리의 선택이 정답이라는 확신이 생겼다.

박완서 작가의 작품 중에서 우리에게 가장 익숙한 작품은 아무래도 여러 교과서에 실려 수도 없이 읽어 보았을 「자전거 도둑」일 것이다. 도덕적으로 자신을 바로잡아 줄 어른의 필요성을 느끼는 소설 속 아이의 모습을 보며 학생들은 자신이 겪는 갈등과 고민을 함께 나누고 자신을 도와주는 환경, 즉 교육, 학교, 그리고 선생님의 중요성을 깨닫는다. 또한 교사는 올바른 도덕적 기준과 관심을 갈구하는 학생에게 어떻게 하면 바람직한 길잡이가 될지 고민해 보게 된다.

박완서 작가는 늘 익숙하게 지나쳐서 그 중요성을 놓치는 '기본'과 '원칙'을 잊지 말아야 한다는 것을 우리의 일상에서, 우리의 시선으로 짚어 준다.

작가가 생애 마지막까지 머무른, 아치울 마을의 노란 집

박완서 작가는 1998년에 경기도 구리시 아치울 마을로 이사 와 생을 마감하기까지 13년간 이곳에서 거주했다. 답사를 위해 우리가 아치울 마을을 처음 방문했을 때, 마을이 아차산 자락 끝에 위치하고 개천이 마을 옆으로 흘러 마치 깊숙한 자연 속에 있는 듯한 느낌이 들었다. 마을 둘레길을 걸어 올라가는 내내 박완서 작가의 「그 많던 싱아는 누가 다 먹었을까」에 묘사된, 작가가 유년 시절을 보낸 박적골의 풍경이 이곳과 비슷하지 않았을까 상상해 보았다.

아치울 마을 입구에서 박완서 작가가 생전에 살던 노란 집으로 가는 방법은 2가지가 있다. 자가용을 이용할 때는 노란 집 바로 뒤에 있는 아치울 마을 회관 주차장을 이용하면 된다. 대중교통을 이용할 경우, 마을 입구에 있는 버스 정류장에 내려서 약 15분 정도 길을 따라 걸어 올라가면 노란색 외벽으로 이루어진 작가의 집을 쉽게 찾을 수 있다. 너무 덥거나 추운 날이 아니라면 학생들과 함께 아치울 마을 입구에서부터 작가의 집까지 천천히 걸어 올라가면 좋을 것이다.

학생들은 마을 옆으로 흐르는 냇물뿐만 아니라 아차산의 풍경도 한눈에 볼 수 있으며 곳곳에 핀 계절 꽃들과 크고 작은 나무도 자연과 더불어 사는 마을 주민들이 만들어 놓은 작은 텃밭 등도 만날 수 있다. 노란 집으로 가는 길 중간에는 학생들과 앉아서 쉬며 이야기를 나눌 수 있는 아치울 어린이 공원도 있다. 공원에 앉아 마을의 풍경을 보며 작가가 유년 시절을 보낸 박적골에 대해 설명하고 학생들이 마을의 향토적 정취를 느껴 보도록 안내하면 좋을 것이다.

8월에 우리가 만난 노란 집은 한여름 햇살의 빛깔과 참으로 닮아 있었다. 외벽이 노란색이어서 눈에 띄면서도, 한적하고 정돈된 아치울 마을과 잘 어우러지는 이 소박한 집에는 박완서 작가의 기운이 그대로 배어 있었다. 현재는 작가의 장녀인 호원숙 작가가 거주하고 있어 내부는 관람할 수 없다.

담장 안 마당에는 아름다운 들꽃들과 싸리, 소나무와 살구나무 등이 있다. 따뜻하고 포근한 느낌이 드는 노란색 외벽과 담벼락 너머의 식물들을 보면, 살아생전 이 집에서 정원을 돌보고 글쓰기를 이어 나가던 작가의 일상이 어땠을지 그려 보게 된다. 작가의 집 근처에는 구리 둘레길로 이어지는 아치울 마을 정원이 있다. 이곳에서 작가의 여러 소설을 떠올리며 학생들과 이야기를 나눠 보면 어떨까.

따뜻하고 포근한 느낌이 나는 노란색 외벽의 소박한 집에서 살아생전 정원을 돌보고 글쓰기를 이어 나간 박완서 작가의 정돈된 기운이 배어 나온다.

도서관 자료실을 빼곡히 채운 이야기들

작가의 유지에 따라 박완서 문학관은 세워지지 않았다. 우리는 문학관 대신 작가와 관련된 문학의 흔적을 더듬어 갈 수 있는 인창 도서관으로 발걸음을 옮겼다.

박완서 작가 생전에 이미 개관해 현재까지도 독자들이 꾸준히 방문하는 인창 도서관의 2층에는 박완서 자료실이 마련되어 있다. 도서관의 상설 부속 시설치고는 꽤 규모가 크고 작가의 작품이 종류별로 다채롭게 전시되어 있다. 접근성이 좋아 책을 좋아하는 시민들이나 박완서 작품에 관심 있는 독자들이 어렵지 않게 방문할 수 있다.

자료실에 비치된 안내문 표지 아래에는 개관 당시 작가가 인터뷰에서 남긴 "죽을 때까지 현역 작가로 남는다면 행복할 겁니다."라는 말이 적혀 있다. 이러한 소망대로 작가는 2011년 79세로 타계할 때까지 15편의 장편 소설, 111편의 단편들, 15편의 산문집, 8편의 동화집 등을 샘솟는 창작열로 완성해 냈다. 그 결과물을 수많은 사람의 발길이 이어지는 박완서 자료실에서 확인할 수 있다.

전시물은 중앙의 작가 연보를 중심으로 모두 16개의 구역으로 나뉘어 있다. 문학상 수상작, 소설, 산문, 동화, 번역본, 초판본과 친필 원고에 이르기까지 다양한 자료가 아기자기하게 배치되어 방문객들을 기다리고 있다. 한쪽 벽면에는 작가의 자전적 소설인 「그 많던 싱아는 누가 다 먹었을까」를 각색한 만화의 일부분을 크게 확대해서 전시하여 시선을 끈다.

자료실 입구 앞에는 '구리시와 박완서 작가'라는 제목으로 작가의 사진과 함께 아치울에서의 일화들이 5미터 남짓의 원목 벽면 가득 기록되어 있다. 복도 맞은편에는 방문객들이 작가의 작품 세계에 동참하도록 마련한 필사 테이블이 놓여 있는데, 페이지마다 녹아 있는 작가의 문체를 경험할 수 있다. 학생들이 필사 릴레이에 참여해 본다면 작가와의 거리를 좁힐 수 있는 재미있는 경험을 할 것이다.

인창 도서관 2층에는 박완서 자료실이 마련되어 있다. 한쪽 벽면에는 작가의 자전적 소설인 「그 많던 싱아는 누가 다 먹었을까」를 각색한 만화의 일부분이 전시되어 있다.

습작도 퇴고도 없는
필력 같은 삶

박완서는 1931년 고향인 경기도 개풍군 박적골을 떠나 서울 현저동으로 이사했다. 소학교에 입학하기 위해 어머니를 따라 서울로 거처를 옮기기 전까지 박완서는 천진무구한 유년 시절을 보냈다.

고향을 떠나 다다른 곳은 성문 밖 변두리. 기대와 다른 서울살이를 시작한 작가는 고향의 모든 것을 그리워하는 대신, 현실에 있거나 없는 것을 자기 나름대로 관찰하고 확인하며 빠른 속도로 성장했다. 그 뒤로도 돈암동, 충신동, 보문동, 잠실, 방이동 등 서울의 동네에 이야기를 엮었고, 문학에 발을 들여놓은 40대 이후까지 각양각색의 사람들과 함께 서울살이를 이어 나갔다.

마찬가지로 자전적 소설인 「그 산이 정말 거기 있었을까」에는 남대문 PX에 취직하여 일하던 사연이며 데뷔작인 장편 「나목」의 모티프가 된 박수근 화가를 만난 사연, 평생의 인연인 남편과 결혼하게 된 사연 들이 줄줄이 등장한다. 이런 자전적 소설들은 소설로 거장이 된 작가의 자기 고백이며, 그의 대표작들이 어떻게 세상에 나오게 되었는지 그런 소설들을 통해 확인할 수 있다. 작가 자신은 작품으로 독자와 만나고 싶다고 했지만, 이미 그는 삶으로 소설 이상의 체험을 증명한 것 같다. 관념의 작가가 아니라 농익은 체험의 작가라는 증거를 자료실에서 발견할 수 있었다.

유리관 안에 보관된 육필 원고지에서 작가의 친필을 들여다보자. 단정한 글씨로 써 내려간 작품들이 저마다 독자에게 말을 건네는 것 같다.

박완서 작가는 늦은 나이에 소설 「나목」으로 데뷔했다. 세는 나이로 마흔인 주부가 습작도 퇴고도 없이 한 번에 써낸 1,200매의 원고는 소재로나 작품 탄생의 배경으로나 흥미를 끌었다. 유리관 안에 보관된 원고지에 적힌 작가의 친필을 들여다보자. 단정한 글씨로 써 내려가던 원고지가 2000년을 기점으로 달라진다. 작가가 일찍이 워드 프로세서로 작업했기 때문이다.

박완서 자료실을 둘러보니 작가의 책들이 사람들에게 말을 건네는 것 같았다. 손녀를 생각하며 쓴 동화 「7년 동안의 잠」은 아이들에게, 청소년들을 위해 쓴 소설 「옥상의 민들레꽃」, 「자전거 도둑」은 물신주의에 젖은 세상에서 가치관의 혼란을 겪는 학생들에게 말이다. 묵묵히 아차산을 산책하던 작가가 사람들이 거들떠보지도 않는 삶의 면면을 주워 이야기 안에 끼워 넣고선 책장을 넘겨 보라고 말을 건네는 것 같다.

우리는 '밥 먹으러 오는 도서관'으로 유명한 인창 도서관의 구내식당에서 잠시 허기를 달래면서, 요리를 즐겼던 '엄마' 박완서에 대해 생각했다. 딸 호원숙에게 박완서는 석유 난로 위에 카스텔라를 구워 주거나 '특별한 악력'으로 우아하면서도 힘 있게 만두를 만들던 다정한 엄마였다. 안방에 들어가 글을 쓰기 전까지는 부엌에서 긴 시간을 보내며 다섯 아이의 도시락을 싸고 식구들을 먹였다. 글 쓰는 것이나 식구들을 생각하는 것이나 땅을 가꾸어 식물들을 키워 올리는 것이 다르지 않았다.

낭독 공연을 통해
박완서 작가를 기억하다

박완서 작가가 타계한 이듬해인 2012년부터 매년 구리 아트 홀에서는 박완서 작가의 작품을 낭독하는 추모 공연이 열린다. 이 공연은 매년 다른 박완서 작가의 작품으로 구성되어 이루어지고 있다. 2023년에는 1975년 발표된 작가의 초기 단편 소설인 「도둑맞은 가난」으로 낭독 공연이 열렸다. 배우들의 낭독뿐 아니라 작품의 내용과 분위기에 어울리는 음악과 영상이 함께 쓰여, 작품에 몰입해 감상할 수 있다. 공연이 비정기적으로 열리므로 먼저 공연 일정을 확인한 후에 답사 계획을 세우면 좋을 것 같다. 낭독 공연과 관련한 자세한 사항은 구리시 인창 도서관에 문의하면 된다.

공연 일정이 답사 계획과 맞지 않는다면 인창 도서관에서 대체 활동을 진행하는 것을 추천한다. 답사 전에 읽은 박완서 작가의 책을 릴레이 형식으로 낭독하거나, 가장 마음에 드는 소설 속 구절을 원고지에 필사해 보는 활동을 진행해도 좋을 것이다.

학생들과 함께 떠나기 좋은 답사 코스

박완서 작가의 흔적을 발견할 수 있는 코스이다. 노란 집과 인창 도서관 2층 박완서 자료실을 답사의 중심에 두고 구리 아트 홀은 감상을 정리하며 방문해 보자.

난도: ★★★
추천 계절: 봄
만남의 장소: 아치울 마을 입구 버스정류장

01 박완서 작가의 고향을 닮은 아치울 마을

실제로 사람들이 거주하는 마을이기 때문에 학생들과 걸어서 이동할 때 지나치게 큰 소음을 유발하지 않도록 지도할 필요가 있다. 답사 전 학생들에게 작가가 유년 시절을 보낸 박적골에 대해 설명해 주자.

도보 15분 ▸▸

02 박완서 작가를 빼닮은 노란 집

박완서 작가의 장녀인 호원숙 작가 가족이 현재 거주하는 곳으로 내부 관람은 불가능하다. 그러나 담벼락 너머로 전해지는 단정한 형상으로도 충분히 박완서 작가를 느낄 수 있으니 아쉬워할 필요가 없다.

대중교통 30분 + 도보 10분 ▸▸

03 박완서 자료실로 남은 작가의 문학 자취

2층 박완서 자료실로 들어가기 전 복도의 한쪽 벽에 정리된 내용을 보며 작가의 삶과 주요 작품을 학생들에게 짚어 주면 좋다. 학생들이 방대한 자료 규모에 압도되지 않고 꼭 둘러봐야 하는 자료를 잘 찾을 수 있을 것이다.

대중교통 10분 ▸▸

04 추모 공연으로 위로를 건네는 구리 아트 홀

박완서 작가의 작품으로 만들어 낸 낭독 공연이 열리며 일정은 매년 변동된다. 주최 측인 인창 도서관에 사전 문의한 후 공연 일정에 맞춰 답사 시기를 정하면 더욱 알찬 답사 코스를 꾸릴 수 있다.

대중교통 15분 ▸▸

01

02

03

한 학기 한 권 읽기 추천 도서&추천 콘텐츠

■■ 다큐멘터리 영화 「20세기를 기억하는 슬기롭고 지혜로운 방법」

박완서 작가와 나누는 세대와 장르를 초월한 짤막한 교감을 담은 다큐멘터리. 20세기의 서울을 기록한 박완서 작가와 여성 영화 감독의 대화를 통해 작품에 담긴 페미니즘과 휴머니즘의 의미를 생각해 보는 시간을 보낼 수 있다.

■■ 『호미』(박완서, 열림원)

박완서 작가의 산문집으로, 출간 15주년 기념으로 다시 펴낸 백일홍 에디션으로 만나 볼 수 있다. 백일홍은 작가가 가장 사랑하는 꽃이라고 한다. 일상에서 행복 찾기, 딸인 호원숙 작가에 대한 신뢰와 애정, 그리고 자기 삶에서 만나 온 존경스러운 어른들에 대한 이야기, 작가가 겪은 크고 작은 고난과 희망, 그리고 종교적 깨달음에 대한 이야기 등이 그려져 작가의 작품 안팎 이야기를 고루 접할 수 있다.

■■ 『그 많던 싱아는 누가 다 먹었을까』(박완서, 세계사)

나의 할머니가 살아온 이야기를 해 주신다면 어떨까? 학생들에게는 증조할머니가 일제 강점기, 광복, 6·25 전쟁 시기를 어떻게 살아왔는지 생생히 들려주는 느낌으로 다가오는 소설일 것이다. 단순히 옛이야기를 하는 것이 아니라 역사에 대한 증언의 책무를 가지고 써낸 자전적 성장 소설이어서 더욱 의미가 있다.

■■ 『자전거 도둑』(박완서, 다림)

요즘 뉴스에 '자전거 도둑'과 관련된 이슈가 종종 등장한다. 당연히 남의 자전거를 훔친 사건이다. 그런데 자기 자전거를 자기가 훔치는 상황은 과연 어떤 상황일까? 인간의 삶에서 진정한 행복을 위해 필요한 것은 무엇인지 '인생의 큰 어른' 박완서가 들려주는 6편의 이야기에 귀 기울여 보자.

유배지에서 보낸 편지

박연정(가락중학교)·윤영인(양평중학교)·최현정(인천경연중학교)

정약용의 정신이 담긴 글귀를 따라

정약용 유적지 → 실학 박물관

전국에 폭염 경보가 내리고, 길이 지글지글 익어 가는 8월의 어느 날, 우리는 남양주에 모였다. 다산 정약용의 흔적을 만나러 가기 위해서다. 남양주시의 남쪽 끝, 하남시와 강을 두고 마주한 조안면 능내리에는 다산 정약용의 생가인 여유당을 중심으로 한 정약용 유적지가 있다. 다산 정약용의 단정하고 맑은 숨결을 따라 걸으며 올곧은 그의 정신을 느껴 보자.

#경기 남양주 #정약용 #실학사상 #여유당 #실학 박물관 #다산 생태 공원

경의중앙선 운길산역에 내려 58번 버스로 갈아타고 '다산 정약용 유적지, 실학 박물관' 정류장에 하차하면 2분 정도 걸어 목적지에 도착할 수 있다. 뜨거운 햇빛이 비치는 날 정약용 유적지에 들어서면 왠지 모르게 맑은 기운을 느낄 수 있다. 우리는 우선 정약용 유적지 안에 있는 문화관, 기념관을 살펴보고 여유당과 정약용의 묘를 거쳐 실학 박물관까지 둘러보기로 했다. 일반적으로 국어 교과서에는 「수오재기」, 「유배지에서 보낸 편지」 등의 글이 실려 있다. 모진 귀양살이 중에도 나라에 대한 걱정과 가족에 대한 사랑을 담아낸 정약용의 글들은 그 자체로 맑은 향기를 품어 현대인에게도 깊은 울림을 준다. 그의 정신이 담긴 글귀를 따라 우리는 여정을 시작했다.

정약용의 삶을 그려 보는 문화관과 기념관

정약용 유적지에 첫발을 내디디면 길게 늘어선 조형물과 좌측에 위치한 문화관을 가장 먼저 만날 수 있다. 문화관에서는 정약용과 관련된 다양한 공공 미술 작품들을 만나 볼 수 있다. 정약용의 삶과 사상을 형상화한 작품들이 한 공간에 전시되어 있는데, 실제로 관람객들이 체험해 보고 소통할 수 있는 형태의 작품들이 있어 흥미를 끈다.

정약용 유적지의 문화관에서 정약용의 삶과 사상을 형상화한 다양한 공공 미술 작품들을 만나 볼 수 있다.

정약용은 전남 강진에서 18년간 유배 생활을 했다. 청년 시절 접한 서학이 빌미가 되었다. 정조의 총애를 받던 위대한 학자는 한순간에 죄인이 되고 정계에서 배제되었다. 암울한 시대의 풍파에 그는 조용히 글쓰기를 택했다. 그는 자리를 고쳐 앉아 500여 권의 저서를 남겼다. 자신을 둘러싼 암울을 걷어 내고, 가장 고결한 방법으로 고난을 이겨 냈다.

문화관에서 나와 기념관으로 발걸음을 옮겨 보자. 기념관에서는 정약용에 대한 조금 더 깊은 정보를 얻을 수 있다. 정약용의 저서, 수원 화성 축조나 유배에 관한 내용들이 체계적으로 정리되어 있어 정약용에 대해 전반적으로 한눈에 파악할 수 있다. 실학자로서 정약용이 품었던 사상도 상세히 설명해 정약용의 꿈과 이상을 깊이 이해할 수 있다.

평생을 마음에 품고 살아간 '여유'

문화관 우측으로 뻗어 나온 빛을 따라 유리문 하나를 열고 밖으로 나가 보면 넓게 펼쳐진 정원 가운데에 정약용이 생의 시작과 마지막을 보낸 생가 '여유당'이 보인다. 정갈하게 자리 잡은 한옥 뒤편의 작은 언덕 위에는 올곧음이 느껴지는 정약용의 묘가 있다. 화려하지는 않지만 기품이 느껴지는 여유당 앞에 서면 흐트러짐 없이 학문에 정진하며 살아왔을 정약용의 삶이 떠오른다.

> 천하 만물 가운데 굳이 지킬 것이 없지만 오직 나만은 지켜야 한다. 천하에 잃기 쉬운 것에 나만 한 것이 없다.
>
> -「수오재기」 중

정조의 깊은 신임을 얻고 중책을 맡아 왔지만 그만큼 정적들의 표적이 된 정약용은 1800년(정조 24년) 봄, 더는 자신의 꿈과 이상을 펼치기 어렵다고 판단해 관직을 내려놓고 남양주로 낙향했다. 그리고 집의 문미에 '여유당'이라는 당호를 걸고 학문에 전념했다. '여유'는 노자의 『도덕경』 구절에서 따온 이름인데, "겨울에 시내를 건너듯, 사방을 두려워하듯" 자신의 처신을 조심스럽게 하겠다는 뜻을 담았다.

여유당에 들어서서 찬찬히 둘러보면 사랑채에서 안채를 바라볼 수 있는 구도가 눈에 들어온다. 유배 생활을 하면서 아내와 자식들에게 편지를 보내던 인정 많은 아버지로서의 모습이 언뜻 비치는 듯도 하다.

> 기록하기를 좋아하라.
> 쉬지 말고 기록하라.
> 생각이 떠오르면 수시로 기록하라.
> 기억은 흐려지고 생각은 사라진다.

머리를 믿지 말고 손을 믿어라.

정약용이 남긴 유산은 양으로나 질로나 보통 수준을 훨씬 넘어선다. 특히나 200년이 훌쩍 지나서 만나는 정약용의 글과 그 속에 담긴 깨달음은 지금의 우리에게 필요한 철학과 인생의 지침을 일러 주는 것만 같다. 세상과 거리를 두고 세상을 위한 글을 쓴 정약용에게 독서와 글쓰기는 '자신을 다스리고, 세상을 돕는 일'이었다. 가족을 향한, 후세를 향한 정약용의 마음 때문에 여유

정약용이 생의 시작과 마지막을 보낸 생가, 여유당은 1925년 대홍수로 떠내려갔다가 1986년 복원되었다. 여유당 뒤편 작은 언덕 위에는 올곧음이 느껴지는 정약용의 묘가 있다.

당을 한 바퀴 돌아보며 여유와 편안함이 생기는 것이 아닐까 싶었다.

생활을 위한 학문,
실학

다산 유적지를 둘러보고 나오면 길 건너편에 실학 박물관이 있다. 실학 박물관 현판을 보며 정약용이 조선 시대에 실학을 전개하고 발전시킨 인물이었음을 다시 한번 확인했다. 실학 박물관은 2층 건물로, 1층은 실학의 형성, 전개, 실학과 과학의 관계를 짚어 주고 영상실이 있어 실학의 전개 흐름을 한눈에 볼 수 있다.

『경세유표』와 『목민심서』 등 500권이 넘는 저서를 통해 정약용은 경험과 사실을 중시하는 학문을 강조했고, 철학적인 논의보다는 현실을 바탕으로 한 지식과 실용성을 중시하여 실제 문제를 해결하고자 하는 실학을 주장했다. 지식이 있어도 행동으로 옮기지 않으면 본질이 아니라 보고, 행동 중심의 교육과 실천을 통한 경험을 강조했다.

또한 정치적 논의보다는 민생을 중시했다. 책략이나 이론적 논의보다는 현실적 문제에 직면한 민중의 처지를 이해하고, 그들의 이익과 복지를 증진하는 방안을 모색하고자 한 것이다. 정약용이 집대성한 실학사상은 조선 후기 지식인들에게 큰 영향을

실학 박물관에서 실학의 형성과 전개 흐름을 한눈에 볼 수 있다. 나오는 길에는 정약용의 글귀를 담은 기둥들을 볼 수 있는데, 실학이 우리 생활 어느 곳에서든 쉽게 접할 수 있는 학문임을 확인한다.

끼쳐 실학 운동을 일으키는 계기를 마련하였다.

실학 박물관을 둘러보고 나오는 길에는 정약용의 사상을 들여다볼 수 있는 기둥들이 나란히 세워져 있었다. 기둥에 적힌 글귀를 읽으며 실학은 교과서에서만 만나는 것이 아니라 우리 생활 어느 곳에서든 쉽게 접할 수 있는 학문임을 다시 한번 깨달았다.

정약용 유적지는 그의 삶처럼 단순하지만 많은 것을 담고 있는 곳이다. 그의 단정하고 실용적인 모습과 그가 쓴 글의 힘이 그대로 전해진다. 8월의 작열하는 태양만큼 뜨거웠을 정약용의 삶을 그의 자취에서 고스란히 느낀 시간이었다.

학생들과 함께 떠나기 좋은 답사 코스

단정한 삶을 추구한 다산 정약용의 맑은 숨결과 올곧음을 느낄 수 있는 코스이다. 정약용 유적지와 실학 박물관을 살펴본 뒤 다산 생태 공원과 능내역도 둘러보면 좋다.

난도: ★
추천 계절: 봄, 가을
만남의 장소: 경의중앙선 운길산역

01 정약용의 삶을 그려 보는 정약용 유적지

정약용 유적지 내부의 코스를 따라 둘러볼 곳이 많다. 정약용이 태어나고 생을 마감한 여유당과 정약용 묘를 한 번에 보며 그의 삶 전체를 조명해 볼 수 있다.

도보 5분 ▸▸

02 실학사상을 집대성한 실학 박물관

실학 박물관에서는 정약용을 비롯한 여러 실학자들의 철학을 생생하게 체험해 볼 수 있다. 실학사상의 원류부터 그 흐름을 찬찬히 눈에 담는 묘미가 있다.

도보 9분 ▸▸

03 생태·역사·문화가 어우러진 다산 생태 공원

실학 박물관에서 걸어서 다산 생태 공원으로 향할 수 있다. 생태 공원은 물을 끼고 여러 초화가 어우러져 휴식을 취하기 좋다. 생태 해설사가 있어 식물에 대한 정보뿐만 아니라 정약용에 대한 이야기도 들을 수 있다.

도보 20분 ▸▸

04 시간이 그대로 멈춘 듯한 능내역(폐역)

능내역은 2008년 12월에 영업을 중단했다. 이후 폐역으로 남겨졌지만 역사 건물과 철로 일부를 기념물로 남겨 옛 기차역의 분위기가 생생하게 느껴지는 사진 명소가 되었다.

대중교통 15분 ▸▸

01

02

04

한 학기 한 권 읽기 추천 도서&추천 콘텐츠

■■ **『유배지에서 보낸 정약용의 편지』(정약용, 보물창고)**

두 아들에게 전하는 정약용의 진심이 잘 묻어나는 편지글 묶음이다. 정약용이 두 아들에게 꼭 알려 주고 싶었던, 세상을 살아가는 지혜가 담백한 문체로 담겨 있다. 두 아들이 굳건히 성장하기를 바라는 아버지로서의 마음이 잘 느껴진다.

■■ **『정약용』(이재승 외, 시공주니어)**

정약용이 가지고 있는 사상을 간략히 알아보기 좋은 책이다. 실학사상을 잘 알지 못하는 중학생 또는 정약용에 대해서 알아보고자 하는 초등 중·고학년에게 추천한다.

■■ **『어린이와 청소년을 위한 목민심서』(정약용, 보물창고)**

정약용의 대표저서 『목민심서』를 청소년의 눈높이에 맞추어 풀어내는 책이다. 정약용이 목민관으로 근무하면서 목민할 마음을 가졌지만 그러지 못한 실제 경험을 바탕으로 수령으로서의 지침을 잘 담아냈다.

■■ **『인간답게 산다는 것』(정약용, 홍익출판사)**

정약용의 저서 『흠흠신서』를 재구성한 것으로, 법과 정의에 대한 정약용의 사상이 잘 드러나는 책이다. 조선 시대에 발생한 실제 살인 사건의 내용과 이에 대한 정약용과 정조의 의견이 각각 담겨 있어 매우 흥미롭다.

멀고도

아름다운 동네

김미영(장곡중학교)·신미영(안양중학교)·이경미(범박중학교)
이경숙(장곡중학교)·이유경(응곡중학교)

원미동 사람들을 만나러 가는 길

원미동 사람들 조각 공원 → 원미동 사람들 거리, 은행 공원 → 원미동 삼거리, 원미 종합 시장 → 원미산 가는 길, 원미 공원 문학 동산 → 원미산

다른 시대를 살아간 사람들의 이야기가 이렇게 오늘날 우리들의 삶과 닮을 수 있을까? 가난하지만 따뜻한 삶을 살아 낸 우리 이웃들의 생생한 삶의 현장! 원미동에 도착하자 소설 『원미동 사람들』 속 인물들이 눈앞에 풍경처럼 펼쳐졌다. '멀고도 아름다운 동네'라는 뜻의 원미동에 마음이 당도했다. 1980년대 삶의 풍경에 오늘을 사는 우리가 함께 담겼다.

#경기 부천 #원미동 사람들 #양귀자 #1980년대

끝나지 않을 것만 같던 무더운 여름이 가고 가을의 시작을 알리는 9월에 답사를 시작했다. 우리는 소설 『원미동 사람들』 속 인물들이 고단한 몸을 싣고 오갔을 부천역을 출발지로 정했다. '원미동 사람들 조각 공원'을 거쳐 '원미동 사람들 거리'를 지나 '은행 공원'에서 강 노인의 마지막 땅의 흔적을 찾아볼 예정이다. '원미 종합 시장'을 둘러보고 '원미 공원 문학 동산'에서 원미동의 역사와 옛 모습을 느껴 본 뒤 '멀리 보이는 눈썹 같은 산'이라는 뜻을 지닌 원미산에 오르는 것을 답사 여정으로 삼았다.

답사 전에 우리는 『원미동 사람들』을 읽고 감상을 나눴다. 『원미동 사람들』은 도시화, 산업화, 민주화를 일구어 가는 과정에서 일어난 다양한 갈등과 혼란을 이웃과 부대끼며 겪어 낸 서민들의 이야기이다. 원미동은 '멀고도 아름다운 동네'라는 뜻을 가졌지만 마냥 아름답지만은 않은 가혹한 삶의 이야기가 펼쳐지는 공간이다. 작가는 원미동이라는 구체적 공간에서 벌어지는 이야기를 통해 따뜻한 공동체에서 살아가는 모습과 당시 사회의 모순을 함께 드러냈다. 그래서 읽는 이는 인간다운 삶에 대한 향수를 느끼기도 하지만 사회와 자신을 돌아보는 아픈 질문 앞에 서기도 한다.

소설 속에서 우리는 지금의 이웃과 나 자신의 모습을 마주했다. 그리고 소설의 배경이 되는 혼돈의 1980년대와 지금의 삶이 별반 다르지 않다는 생각에 모두 공감했다. 평범한 사람들의 세밀하고도 작은 일상 안에 담긴 큰 이야기는 시대를 넘어 우리를 진동하게 한다. 원미동 사람들의 삶의 이력을 따라가다 보면 사람 살아가는 속내를 배우게 된다. 이것이 오랜 시간이 흐른 지금도 독자들이 『원미동 사람들』을 찾아 읽는 이유일 것이다.

더 가혹해진 일상이 펼쳐지는 이 시대에 우리에게 필요한 것은 이웃을 향한 정겨운 관찰의 회복이 아닐까? 그 정겨운 관찰만이 앞으로의 희망이 무엇인지를 흐릿하게나마 엿볼 수 있는 길이 아닐까 싶다. 삶과 사람에 대한 깊은 애정으로 충만한 거리를 그리며 답사를 시작한다.

조각 공원에서 다시 시작되는 원미동 이야기

이른 아침 시간임에도 부천역 북부 광장은 사람들로 북적였다. '부천역 북부(기점)'에서 71번(또는 70-2번) 버스를 타고 '원미구청' 정류장에서 내렸다. 원미 어울마당을 찾아 3분 정도 걸어가니 목적지인 '원미동 사람들 조각 공원'이 나왔다. 원미동의 역사를 보여 주는 듯한 낡은 원미 어울마당 건물(옛 원미구청)과 커다란 튤립나무 그늘이 원미동 조각 공원을 감싸고 있었다.

'원미동 사람들의 거리'라고 새겨진 조형물을 따라 조각 공원으로 들어서니 원형 분수대 의자에 걸터앉아 책을 읽고 있는 원미동 시인의 모습이 먼저 눈에 들어왔다. 밤중에 보면 꼭 몽달귀

신 같다고 해서 '몽달 씨'로도 불리는 원미동 시인이지만, 공원에서 책을 읽는 모습은 꽤나 근사했다.

원미동 시인의 오른쪽으로 몸을 조금만 돌리면 「마지막 땅」의 주인공인 강 노인을 만날 수 있다. 소설에서 강 노인은 180센티미터가 넘는 키에 거대한 몸집, 막일꾼 차림새에 빨간 주먹코로 묘사된다. 작품을 읽으며 상상했던 거구는 아니지만 삶의 굴곡이 고스란히 담긴 얼굴로 왼손은 뒷짐을 지고 오른손으로는 삽을 쥔 채 서 있는 강 노인은 사뭇 강단이 있어 보였다.

분수대를 따라 발걸음을 옮기면 라면 상자를 들고 서 있는 김 반장을 만날 수 있다. "형제슈퍼"를 운영하며 억척스럽게 살아가는 27살 청년이다. 뭘 해도 힘든 요즘 20대의 삶을 생각하면 그의 삶이 더 나았을까 싶다. "김포슈퍼"와 "싱싱청과물"의 삼파전에서 어떻게든 살아남기 위해, 매일매일을 살아 내기 위해 애를 쓰는 김 반장의 모습이나 여기저기에 치여 사는 요즘 젊은이들의 모습이나 크게 다르지 않은 듯하다.

『원미동 사람들』에 나오는 수많은 인물 중 유독 3명을 조각상으로 세운 이유가 무엇일까? 내가 만약 조각 공원의 기획자라면 어떤 인물을 세우고 싶은가? 학생들과 왔을 때 그런 활동을 해 보면 좋겠다는 생각을 하며 잠시 눈을 감고 소설 속 인물들을 하나하나 떠올려 보았다.

3명의 조각상 위로 시선을 돌리면 파란 하늘과 함께 조각 공원을 빙 두르고 있는 4개의 조형물을 만날 수 있다. 가까이 들여다

보니 칸마다 빼곡하게 소설 속 문장들이 새겨져 있었다. 세어 보니 총 16칸이었다. 소설을 읽으며 인상 깊었던 구절들을 여기에서 다시 만나니 책을 읽으며 느꼈던 마음들이 생생하게 떠올랐다. 아이들과 함께 문장들을 소리 내어 낭독하거나 각자 마음에 드는 문장을 골라 필사하는 기쁨을 누려도 좋겠다.

원미동 사람들 조각 공원을 빙 두르고 있는 4개의 조형물에는 16칸에 빼곡하게 소설 속 문장들이 새겨져 있다.

원미동 사람들을 추억하다

조각 공원을 나오면 '원미동 사람들 거리'를 가리키는 방향 표지판이 바로 보인다. 이 방향대로 구불구불한 골목을 걷다 보면 『원미동 사람들』의 공간적 배경인 23통 거리를 만날 수 있다. '어디일까? 이 골목인가?' 살피며 한 골목의 모퉁이를 돌아서는 순간, 소설을 읽으며 상상하려고 애썼던 그 공간이 바로 이곳임을 '아! 이곳이구나.' 하고 알게 되었다.

한 발짝 더 골목에 들어서니 소설의 첫 번째 이야기인 「멀고 아름다운 동네」에서 은혜네가 서울을 떠나 좁은 길로 트럭을 타고 들어와 만감이 교차하는 얼굴로 이삿짐을 푸는 모습이 그려졌다. 그 뒤로 어디선가 금방 우르르 몰려나올 것 같은 아이들, 흘낏흘낏 이를 지켜보는 원미동 사람들의 모습도 떠오른다. 23통 거리로 조금 더 들어가 걷다 보면 아직 당시의 모습을 간직하고 있는 오래된 세탁소가 보이는데 소설에 나오는 가게를 만난 것처럼 반가웠다.

가게 앞 평상에서 "원미지물포" 주 씨와 "행복사진관" 엄 씨가 바둑을 두는 모습도 상상해 보았다. 골목 구석구석 옹기종기 모여 앉은 집, 옛 흔적이 아직 남은 주택, 다 쓴 양동이를 재활용해 정성스럽게 키우는 옥상 채소를 보면서 소설 안에서만 존재했던 원미동 사람들의 일상이 금세 친숙해지고 익숙해졌다.

23통 거리에는 으악새 할아버지와 원미동 시인이 살았던 무궁화 연립을 재건축한 대화 아파트가 있다. 대화 아파트 입구에 들어서면 '소설 원미동 사람들 언저리'라는 안내판이 있는데 우리가 서 있는 곳의 위치가 소설 공간에서 어디인지를 알려 주고, 소설의 배경이 되는 가게들의 위치도 지도로 보여 준다. 그곳에서서 가만히 골목 이쪽, 저쪽을 살펴보면 드디어 소설의 모든 공간을 분명하게 짐작할 수 있다.

골목에 들어오면서부터 찾았던 모퉁이의 형제슈퍼 자리에서는 눈에 띄지 않게 최대한 의자에 구부리고 앉아 있는 원미동 시인 몽달 씨가 나올 것 같다. 울퉁불퉁한 계단에서 부글부글 끓어오르는 배를 부여잡고 올라오는 지하 생활자도 보인다. 그리고 그들을 따뜻하고 애정 어린 시선으로 바라보는 우리를 느낄 수 있다.

골목을 조금 더 걷다 보면 골목의 끝에 있는 은행 공원을 만날 수 있다. 바로 이곳이 「마지막 땅」의 배경인, 강 노인의 땅이다. 강 노인이 인분을 뿌려 채소를 심으며 마지막까지 지키려고 한 땅. 강 노인의 삶과 생명의 근본이 된 그 땅에 초호화 고층 건물이 아닌 어린아이들이 뛰어노는 공원이 들어섰다는 것을 알면 강 노인은 어떤 생각을 할까.

공원 벤치에 앉아 공원이 되기 전부터 동네를 지켰을 커다란 느티나무를 바라본다. 우리는 저마다 강 노인이 되어 그 마음을 느껴 보았다.

치열하게 매일의 일상을 살아 내며 조금 더 나은 삶을 꿈꾸고

강 노인이 마지막까지 지키려고 한 땅에는 초호화 고층 건물 대신 어린아이들이 뛰어노는 공원이 들어섰다. 공원 벤치에 앉아 동네를 지켜 온 커다란 느티나무를 바라보며 강 노인의 마음을 느껴 보았다.

희망을 더하려 한 원미동 사람들의 삶과 현재를 사는 우리의 삶이 다를 것은 무엇인가? 원미동 사람들이 살아남기 위해 서로 부대끼고 갈등하며 이기적으로 변해 가는 모습이 오히려 인간적으로 느껴졌다.

소설에서는 유선 방송이 생기면서 사람들의 대화가 점차 사라지는 것을 안타까워한다. 하지만 오늘의 우리에겐 텔레비전 앞에 붙어 앉아 따뜻한 아랫목에서 함께 누워 텔레비전을 보는 광경이 오히려 그리운 풍경이 되었다. 현재 우리가 사는 세상은 원미동 세상과는 달리 새로운 의미의 소외와 단절을 겪고 있기 때문이다.

세상은 빠르게 변화했고 기술은 현란할 정도로 발전했지만 지금을 사는 우리의 일상이 『원미동 사람들』의 삶보다 행복하다고 할 수 있을까? 변하는 것은 순리고 당연한 것이지만 변화하는 현실에서도 삶의 가치와 태도는 간직해야 하지 않을까.

강 노인은 변해 가는 현실에 적응하지 못하는 구시대 인물로 여겨지지만 강 노인이 지키려 한 것은 그냥 단순한 땅이 아니었을 것이다.

지금의 우리에게는 삶의 근원이라 할 수 있는 '일용할 양식'을 주는 소중한 생명 줄이 무엇일까? 어느 인터뷰에서 양귀자 작가가 했던 "『원미동 사람들』은 결국 '사람들'이다. 사람과 사람들을 통해서만 멀고도 아름다운 동네에 갈 수 있다."라는 말을 되뇌며 23통 골목을 나섰다.

원미 종합 시장에 여전히 남아 있는 원미동 사람들

1, 2층짜리 작은 건물들을 지나면 원미 종합 시장이 나타난다. 1985년부터 조성되기 시작했다는 원미 종합 시장은 『원미동 사람들』에 직접적으로 등장하지는 않지만 그 시절의 모습을 고스란히 담고 있었다.

원미 지구대 삼거리부터 늘어진 다양한 가게들은 빛바랜 간판만큼이나 오래되어 보였고 그만큼 학생들이 흥미 없이 쉽게 지나칠 만한 풍경이었다. 그러나 자세히 들여다보면 소설에 등장하는 가게와 사람 들이 사라진 것이 아니라는 생각이 들었다.

욕실 공사 전문에 수도와 배관 공사도 한다는 경력 33년의 설비 업체에는 혹시 토끼띠 임 씨가 아랫마을에서 원미동으로 이사 와 자리 잡은 것이 아닐까. 큼지막하게 '쌀'이라 적힌 쌀 상회에는 형제슈퍼 김 반장의 등쌀에 못 이긴 김포슈퍼가 돌아온 것은 아닐까.

학생들과 함께 시장을 탐방하며 소설 속 등장인물이나 상점들을 떠올리면서 비슷한 이름의 간판을 찾아보거나 각각의 가게에 담긴 이야기를 상상해 보는 활동을 해도 좋을 것 같다. 전통 시장에 익숙하지 않은 요즘 아이들이 북적북적한 시장 안에서 떡볶이, 호떡, 식혜 등 다양한 간식들을 사 먹어 보는 즐거운 경험은 덤이다.

원미 종합 시장은 『원미동 사람들』에 등장하지는 않지만 그 시절의 모습이 고스란히 담겨 있다.

원미산을 찾아가는 길,
터널로 이어지다

원미산으로 가는 길을 찾아 걸었다. 원미 문학 동산, 원미산 산림욕장 등의 이정표가 새롭게 서 있었다. 우리 모두 「한 마리의 나그네 쥐」에 나오는 인물을 자연스럽게 떠올렸다. 약수터와 그 시절 원미동 사람들이 품고 살았던 원미산.

하지만 우리가 찾아갔을 때 원미산으로 가는 길 풍경은 이색적이었다. 왼쪽은 새로 조성한 아파트와 그에 딸린 도시형 상점들과 간판들이 이어져 있는데, 오른쪽은 오래된 가게와 집들이 다닥다닥 붙어서 서로 기대어 마주보고 있었다. 방앗간, 미용실, 세탁소들의 모습은 어쩌면 소설 속 풍경 그대로가 아닐까 싶을 정도였다.

그런데 원미동 탐방 내내 원미산이 보이지 않았다. 저 멀리 새로 들어선 30층 높이의 아파트로 가로막혀 있었기 때문이다. 주변의 가게들을 구경하며 오르막길을 오르면 원미산을 끼고 도는 도로에 막혀 버린 삼거리가 나온다. 오른쪽으로 방향을 틀어 조금만 더 걸어가니 "원미 공원 문학 동산"이라는 이름표를 단 터널 입구가 보였다. 세상에, 터널이라니.

30여 년 세월 동안 이루어진 개발로 원미동과 원미산 사이를 갈라놓은 도로가 났고 그 밑에는 다시 둘을 이어 주는 터널이 뚫렸다. 터널 안에는 『원미동 사람들』의 이야기부터 원미동의 변천

과정과 원미동의 사계절을 그림으로 담아낸 벽화들이 사진 앨범처럼 서 있었다. 작은 박물관 같다는 생각을 하며 벽화들을 한 장 한 장 감상했다.

벽화 터널을 통과하니 바로 야외 무대가 있는 광장이 있고 메타세쿼이아 길을 따라 울창한 숲이 나타났다. '원미산 너나들이 힐링숲'이라는 이름으로 조성된 '숲속 책 읽기 쉼터', '옹달샘 연꽃', '네거리 쉼터'에는 그네를 타거나 정자에서 여름 더위를 식히며 도란도란 담소를 나누는 사람들이 많았다.

원미동과 원미산 사이는 도로로 막혔지만 그 아래로 다시 둘을 이어 주는 터널이 생겼다. 터널 안에는 원미동에 대한 작은 벽화들이 박물관처럼 늘어섰다.

초록빛 숲 자락과 파란 하늘에 갇힌 늦여름 원미산은 여전히 원미동 사람들의 삶의 쉼터였다. 원미산 자락을 따라 경기도 둘레길까지, 부천의 여러 마을로 이어진 길들은 또 다른 빛깔로 이 시대 삶의 모습을 담고 있었다. 원미산 자락 쉼터에서 우리도 잠시 숨을 돌렸다.

삶의 역사는
아름답게 이어지고

원미산 정상을 가리키는 이정표를 따라 계단을 올라가니 "원미정(遠美亭)"이라고 쓰인 정자가 보였다. 아쉽게도 공사 중이라 올라가 보지는 못하고 눈으로만 감상했다. 대신 원미산 정상 이정표를 지나자마자 원미동을 조망할 수 있는 전망대가 있었다. 우리가 지나온 원미동 사람들의 거리며 멀리 부천 시내가 한눈에 들어왔다.

터널을 지나 다시 원미동 거리로 되짚어 내려오는 길에 뒤를 돌아보았다. 문득 『원미동 사람들』에 나오는 인물들도 30년 나이를 먹었을 텐데, 그들의 안부가 궁금했다.

은혜랑 경옥이는 어른이 되어 이 도시 어디쯤 살고 있을까. 몽달 씨는 그 착한 심성으로 여전히 시집을 읽으며 동네 서점을 운영하고 있지 않을까. "강남부동산" 박 씨랑 지물포 주 씨, 고흥댁,

시내 엄마, 사진관 엄 씨와 찻집 여자, 경호 아버지는 답사길에 우리랑 스쳐 지나간 어르신 몇몇이지 않았을까.

작가는 자전적 이야기라 짐작되는 「한계령」 속 은자 씨를 이미 만나지 않았을까. 그 모든 원미동 사람들에게 따뜻한 안부 인사를 건넸다. 모두 건강하시기를. 이 아름다운 동네를 잘 지키고 가꿔 온 것처럼 모두 행복하시기를.

지금의 원미동에서 소설 『원미동 사람들』의 배경이었던 1980년대 과거의 흔적을 찾아다니면서 우리가 정말 만나고 싶었던 것은 무엇이었을까. '역사는 과거와 현재와 미래의 대화'라는 말처럼 그 시절을 살았던 사람들이 사라지고 또 사라져도 『원미동 사람들』은 문학 작품으로서 남아 있을 것이고 미래의 아이들에게 읽힐 것이다. 문득 「일용할 양식」에 나오는 마지막 문장, "그리고 빈자리에는 이른 봄볕만 엄청 푸졌다."가 우리 발끝에 따라왔다. 여름 끝 어디쯤에 서서 '푸진 봄볕' 같은 원미동을 마음에 담아 왔다.

학생들과 함께 떠나기 좋은 답사 코스

『원미동 사람들』의 공간적 배경인 원미동 일대를 둘러보는 코스이다. 원미동 조각 공원과 원미동 거리, 원미 종합 시장에서 소설의 내용을 연결 지을 수 있다.

난도: ★★
추천 계절: 가을
만남의 장소: 지하철 1호선 부천역 북부 광장

01 조각 공원에서 다시 만난 원미동 사람들

소설을 읽으며 상상했던 인물을 만나 보자. 소설 속 글귀들이 16개나 조각되어 있다. 마음에 드는 글귀를 골라 잠시 필사해 보자.

대중교통 및 도보 15분 ▸▸

02 소설의 주 공간, 원미동 23통 골목

소설 속에 나오는 가게와 에피소드를 상상할 수 있는 공간이다. 은행 공원 벤치에 앉아 강 노인의 마음을 느껴 보자.

도보 10분 ▸▸

03 사람들의 생기가 살아 있는 원미 종합 시장

소설에 직접적으로 등장하지는 않지만 옛 원미동의 풍경을 담고 있는 장소이다. 전통 시장을 체험하며 이야기도 상상해 보는 활동을 진행해 보자.

도보 15분 ▸▸

04 원미산을 찾아가는 길 이색적인 풍경

아파트와 오래된 집들이 서로 마주보고 있는 거리를 걸으며 문명의 이기에 대한 다양한 이야기들을 나눌 수 있다.

도보 10~20분 ▸▸

05 원미동과 원미산을 잇는 터널 여행, 원미 공원 문학 동산

원미동에서 원미산으로 가는 터널을 문학 동산으로 재구성하였다. 소설 『원미동 사람들』 이야기와 더불어 원미동의 역사와 옛 모습들을 벽화 형태로 만날 수 있다.

도보 5분 ▸▸

06 원미동 사람들의 쉼터 원미산

해발 167미터의 낮은 산으로 아주 긴 둘레길을 가지고 있다. 진달래동산 입구에는 양귀자 문학비가 세워져 있으며 '원미정'이라는 정자에 올라가면 부천 시내를 조망할 수 있다.

대중교통 및 도보 30분 ▸▸

07 추가로 방문하면 좋을 심곡천

'원미동 사람들 거리'에서 10분 정도 걷다 보면 생태 하천으로 되살린 심곡천이 나온다. 유네스코가 선정한 문학 도시답게 다리마다 작가 이름을 붙였다. '양귀자교'를 찾아보는 재미도 쏠쏠할 것이다.

도보 10분 ▸▸

한 학기 한 권 읽기 추천 도서&추천 콘텐츠

■■ **『만화 원미동 사람들』**(변기현, 북스토리)

『원미동 사람들』을 원작으로 삼은 변기현의 만화. 2011년 한국 콘텐츠 진흥원 기획 만화 창작 지원작이며, 원작 소설에 나오는 이야기 8개가 담겨 있다. 소설의 내용을 시각적으로 잘 표현한 작품이라 소설의 내용을 이해하는 데 도움이 될 것이다.

■■ **『천변풍경』**(박태원, 문학과지성사)

이 작품은 1930년대 청계천 주변에서 살아가는 사람들의 일상생활 에피소드를 나열한 세태 소설로 당시 도시의 문화와 다양한 사람들의 삶을 제시한다. 두 작품 모두 사람들의 이야기를 따스하게 바라본다는 점에서 공통점이 있고 대표적인 세태 소설이라 비교하며 읽어 보면 시대와 사람들의 삶을 이해하는 데 도움이 될 것이다.

■■ **드라마 『응답하라 1988』**(tvN)

1980년대 서울 쌍문동을 배경으로 한 드라마. 좁은 골목길에 모여 살던 다섯 가족의 고되지만 따뜻한 삶의 이야기를 담고 있다. 1980년대를 살아가던 사람들의 치열한 생활 양상과 당대 학생들의 모습을 생생하게 이해할 수 있다.

■■ **『길모퉁이에서 만난 사람』**(양귀자, 쓰다)

작가가 서울로 거처를 옮긴 뒤 경험한 서울 생활, 서울 사람들의 모습을 담아낸 인물 소설. 김밥 아줌마, 채소 트럭 아저씨 등 지나치기 쉽지만 조금만 주의를 기울이면 만날 수 있는 주변의 평범한 이웃들을 따뜻한 시선으로 그려 낸다. 함께 읽어 보면 우리 주변의 이웃들에게 관심을 두는 계기가 될 것이다.

상실을 넘어 미래로

김정원(서해고등학교)·박서영(향남중학교)·임효완(신길중학교)·정성아(평택중학교)·최혜지(향남중학교)

따뜻한 빵 한 끼로 건네는 위로

화랑 유원지 → 4·16 민주 시민 교육원 기억관 → 4·16 민주 시민 교육원 미래 희망관

『우연한 빵집』은 세월호 참사로 주변 사람들을 잃은 이들의 이야기를 담고 있다. 가장 친밀하고 가까웠던 친구부터 친구의 친구까지, 크기와 형태는 다를지라도 이들은 모두 상실이라는 공통점 아래 공명한다. 우리도 저마다의 크고 작은 상실을 각자의 방법으로 헤쳐 나가며 살아가고 있다. 답사 코스는 『우연한 빵집』의 첫 장면과 같이 벚꽃이 흐드러지게 핀 화랑 유원지부터 세월호 참사의 기억을 고스란히 간직하고 있는 민주 시민 교육원까지이다. 학생들이 걷던 길을 함께 걸으며 서로의 상실을 보듬고 어떤 변화를 향해 걸어갈지 고민해 보자.

#경기 안산 #세월호 #상실 #연대 #치유 #우연한 빵집 #바람이 되어 살아 낼게

요즘 학생들에게 세월호 참사는 어떤 의미가 있을까? 답사 당일에 우리는 자연스레 그날의 기억과 감정을 떠올렸고 우리가 얼마나 이 사건에 무뎌졌는지 이야기했다. 우리는 여전히 그날의 충격을 생생하게 떠올릴 수 있지만, 같은 크기와 형태의 충격을 겪지 않은 학생들이 무작정 답사지를 방문했을 때 어떤 기분이 들지는 의문이었다. 참사를 함께 지나오지 않은 학생들에게는 여느 박물관이나 기념관처럼 딱딱하게 느껴지지 않을까.

많은 사람들의 마음속에서 세월호 참사는 잊히고 있다. 그동안 우리 주변에서는 많은 재난이 일어났고, 한 발짝 멀리서 바라보는 사람들은 반복되는 재난에 점점 무던해져 왔다. 그래서 누군가는 이제는 과거에 연연하지 말고 새로운 미래에 집중할 때라고 말한다.

하지만 재난은 여전히 우리 곁에서 많은 이들에게 상처를 남긴다. 과거를 반복하지 않고 더 나은 미래로 나아가기 위해서는 지난 일을 또렷이 기억하고 함께 이야기하는 애도의 과정이 꼭 필요하다. 슬퍼하기 위해 애도하는 것이 아니라, 더 나아가기 위해 기억하고 공감해야 하는 것이다.

『우연한 빵집』의 주인공들은 각자의 방식으로 상실을 겪은 사람들이다. 그들은 빵 한 끼가 전할 수 있는 위로를 통해 외면하고픈 상처를 마주하고 앞으로 나아가는 용기 있는 사람들이다. 이 답사가 재난과 참사를 겪은 사람들에게 어떤 마음으로 위로를 건네야 할지, 왜 재난과 참사를 기억해야 하는지, 앞으로 어떤 방향으로 나아갈지를 학생들과 함께 고민하는 길이 되었으면 했다.

초대합니다,
우연한 빵집으로

화랑 유원지가 답사를 여는 장소로 정해진 건 『우연한 빵집』의 도입과 닮았기 때문이다. 4호선, 수인분당선, 서해선이 지나가는 초지역 4번 출구에서 도로를 가로질러 5분 정도 걸으면 화랑 유원지가 보인다. 전철역과 넓은 도로의 소음, 4월에 방문한다면 눈앞에 가득 날릴 벚꽃 잎까지, 『우연한 빵집』의 하경이 걷던 거리를 그대로 옮겨 둔 모습이다. 잃어버린 오빠의 블로그에 자주 댓글을 남겼던, 수학여행을 떠난다는 글을 마지막으로 사라진 소녀 '캉파뉴'를 떠올리며 찾은 동네에서 빵집 '빵'을 우연히 만난 그 거리.

빵집 대신 무엇을 만나게 될지 기대하며 우리는 유원지 안쪽으로 걸어갔다. 호수와 산책로를 중심으로 캠핑장, 박물관, 광장, 미술관, 인공 암벽 등반장과 청소년 수련관까지 갖춰져 있다는 점이 눈에 띄었다. 쾌청한 토요일 오후라 그런지 각기 다른 즐거움을 찾아온 사람들이 기분 좋은 소란을 만들어 내고 있었다. 계절마다 다른 색채로 펼쳐지는 정경은 이 유원지의 또 다른 매력이다. 봄에는 벚꽃을, 여름에는 연꽃을, 가을에는 갈대숲과 단풍을, 그리고 겨울에는 눈과 함께 얼음판이 된 호수를 만끽할 수 있다. 공원을 거니는 동안 분주해진 눈과 귀 덕분에 답사를 떠나기 전부터 무거웠던 마음가짐은 조금 느슨해지는 듯했다.

『우연한 빵집』의 '빵'도 마찬가지이다. '윤지'는 빵에도 저마다 표정이 있다고 말했다. '빵'에 들르는 누군가는 단팥빵을 먹으며 오래전 자신을 찾아온 소중한 생명을 떠올리고, 다른 누군가는 밀가루 반죽을 마구 치대며 오빠가 떠난 이후 응어리진 마음을 풀어낸다. 무화과 캉파뉴를 사서 얼굴이 가물거리는 친구에게 생일 선물로 전하는 이도, 그것을 보며 오물오물 빵을 뜯어 먹던 딸의 모습을 기억해 낸 이도 있다. 크루아상 하나를 사이에 두고 소중했던 한 사람에 대해 쌓아 둔 이야기를 쏟아 내는 이들도 '빵' 한편에 앉아 있다.

늘 새로운 표정과 새로운 풍경들이 반기는 유원지도 '빵'과 마찬가지로 참사를 지나며, 상실을 겪으며, 마음 깊은 곳에 켜켜이 쌓인 우리의 슬픔을 소리 없이 녹일 것이다. 그리고 다시 일상으로 돌아갈 용기를 건넬 것이다.

광장 한편에서 작은 축제가 열리는 듯해 가 보았더니 6월부터 10월까지 매달 넷째 주 토요일마다 열리는 '4·16 생명 안전 문화제'였다. 다양한 체험 부스와 공연을 만날 수 있는데, '4·16 생명 안전 공원'의 건립을 위해 시민과 함께 만들어 가는 행사라고 한다.

행사장에 놓인 소책자와 안내판에 적힌 4·16 생명 안전 공원에 대한 설명을 요약하면, 이 공원에는 단원고등학교와 호수를 바

계절마다 색다른 아름다움을 선사하는 화랑 유원지의 광장 한편에서는 '4·16 생명 안전 문화제'가 열렸다.

라보는 야생화 언덕과 세월호 참사 희생자 추모 공간이 만들어질 예정이다. 그 외에도 공연, 전시 등이 열릴 수 있는 전시실과 광장, 다목적 홀 등이 실내외에 조화롭게 조성된다고 한다. 시민들의 마음을 치유할 뿐만 아니라 생명 존중과 안전 사회에 대한 공감대를 높이는 방법을 배울 수 있도록 돕기 위해서다.

공원이 완공되기 전까지는 4·16 생명 안전 문화제에 날짜를 맞춰 답사를 가는 것도 좋겠다. 다양한 체험 활동이 가능한 것은 물론이고 새로 자리 잡을 공원의 모습을 상상하고 기대해 보는 기회도 될 것이다. 신나는 음악과 아이들의 웃음소리가 함께하는 축제라니, 슬픔이나 침울함만 가득할 것이라는 예상이 선입견이라는 것을 깨달으며 동시에 따뜻한 기대감이 마음속에 유연하게 떠올랐다.

선생님들과 함께 호수가 잘 보이는 벤치에 자리를 잡았다. 이곳에서는 먼저 우리를 여기에 모이게 한 주제, '상실과 연대'와 관련한 각자의 경험과 생각을 나누었다. 서로의 이야기로 공감대가 형성된 후에는 미리 읽은 도서들의 내용과 감상을 덧붙여 심도 있는 이야기를 이어 갔다.

지금 나와 마주한 사람 혹은 우리가 읽은 책 속의 인물이 어떤 아픔을 겪었는지, 그것을 어떻게 이겨 냈는지, 또 이겨 내지 못한 경험은 없었는지, 묵묵히 듣고 고개를 끄덕이면서 각자의 오랜 아픔들이 작게나마 달래어지는 듯했다. 학생들과 떠나는 문학 기행에서는 아예 돗자리를 깔고 다과를 먹는 작은 소풍을 즐기며 이야기를 나누는 것도 추천하고 싶다.

『우연한 빵집』의 이야기는 인물들이 '빵'의 베이킹 강좌에 초대받는 것으로 끝난다. 하지만 밀가루 반죽을 치대고 오랜 시간 구우면서 서로의 슬픔을 들려주고 들어 주는, 그래서 차디찬 마음이 다시 향긋하고 따뜻하게 데워지는 결말 이후의 장면을 우리는 이 공원에서 경험했다.

기억의 힘은 강하다,
단원고 4·16 기억 교실

단원고 4·16 기억 교실은 지하철을 이용하면 쉽게 방문할 수 있다. 4호선 고잔역 1번 출구로 나와 지하보도를 건너고 안산 우체국 방향으로 걷다 고려대학교 안산 병원 쪽으로 좌회전한 뒤 그 방향으로 계속 걷다 보면 커다란 노란 리본이 보인다.

노란 리본과 함께 푸른 화단에는 노란 바람개비들이 끝없이 돌아가며 서 있다. 마치 항상 이곳에 있다는 것처럼 환하게 우리를 맞이한다. 우리는 곳곳에 있는 여러 조형물들에 눈을 맞추며 천천히 기억 교실로 들어갔다.

기억 교실의 입구로 들어가면 세월호 참사 피해자 가족들이 우리를 맞아 주신다. 단원고 학생들의 어머니, 아버지들이 돌아가며 기억 교실을 관리한다고 한다. 관람 시 유의 사항을 안내해 주시며 오늘 생일을 맞은 학생은 누구인지, 교실에 붙어 있는 QR 코드는 무엇인지 간단히 설명해 주신다.

세월호 참사 유가족들은 4·16 합창단부터 여러 육성 기록들, 봉사 활동들까지 꾸준히 여러 행보를 이어 가며 머물러 있지도 고여 있지도 않았다. 슬픔과 고통을 억누르지 않고 오히려 펼쳐냈다. 그러자 기억은 고통으로만 남지 않고 함께 연대하는 힘으로 작용했다. 이곳 기억 교실에서도 마찬가지다. 기억은 그들을, 우리를 다시 일어서게 한다.

기억 교실은 단원고 학생들과 교직원이 사용하던 교실과 교무실을 그대로 옮겨 놓은 곳이다.

단원고 4·16 기억 교실은 국가 지정 기록물 제14호로 지정되었다. 이곳의 모든 책상, 의자, 칠판은 물론 교실의 문틀, 창틀, 창문, 천장에 있던 모든 세부 부품들은 실제 2014년 단원고등학교의 교실에서 가져온 것이다. 건물 2층에는 2학년 7반부터 10반 교실, 교무실이 복원되어 있고, 3층에는 2학년 1반부터 6반 교실이 복원되어 있다.

교실에 들어가니 수학여행 가정 통신문, 출석부, 여러 대회의 참여 안내문 등이 고스란히 남아 모든 기억들이 2014년 4월에 머물러 있다. 학생들이 서로 주고받은 쪽지, 롤링 페이퍼, 하루하루 지날 때마다 가위표를 친 식단표까지 너무나 평범한 학교의 일상이었다.

우리는 천천히 학생들의 자리를 살펴보았다. 속으로 학생들의 이름을 불러 보며, 그들이 어떻게 18세의 나날을 보냈을지 상상해 보았다. 교실의 책상마다 그 자리의 주인이 누구인지 표시되어 있었다. 단순히 이름만 적혀 있는 것이 아니라 학생의 웃는 얼굴과 함께 평소 성격은 어땠는지, 어떤 꿈을 가지고 있었는지도 알 수 있었다.

여러 액자들 사이에 가지런히 놓인 경찰 제복에 눈길이 갔다. 경찰이 꿈이었던 학생을 위해 안산 단원 경찰서에서 이름까지 자수로 새겨 제공했다고 한다. 책상 위에는 방명록이 놓여 있는데 친구들의 그리움과 지켜볼 수밖에 없던 시민들의 안타까움, 언제나 아이들을 기다리는 부모님들의 사랑이 가득 담겨 있었

각 교실마다 QR코드가 붙어 있고, 이를 찍으면 교실 안내와 함께 학생들 한 명 한 명의 이야기를 들을 수 있다. 자리마다 학생들의 사진, 초상화, 방명록이 놓여 있고 학생들을 기억하는 사람들의 마음이 가득 담겨 있다.

다. 같은 필체로 최근까지도 몇 번씩이나 적혀 있는 사랑에 우리는 고개를 숙일 수밖에 없었다.

다음은 2학년 선생님들의 기억 교무실을 찾아갔다. 교무실에는 11명의 선생님들이 계신다. 선생님들이 사용하던 교무 수첩과 전화기, 여러 교과서들이 생생하게 남아 있다. 여느 학교 교무실의 풍경과 다를 바가 없다. 선생님을 기억하는 제자들과 선생님을 사랑한 사람들의 마음이 담긴 쪽지들이 책상에 한가득 올려져 있는 것만 빼고는.

선생님들의 교무 수첩에는 수학여행과 관련된 내용이 많았다.

조심해야 할 점들과 챙겨야 할 것들을 적어 둔 선생님들의 섬세한 마음에 더욱 마음이 아려 왔다.

기억 교실과 교무실을 모두 둘러본 후, 우리는 1층으로 향했다. 세월호 참사 희생자 304명의 이름을 하나하나 호명하는 영상을 함께 시청했다. 얼굴과 이름을 함께 마주하니 모두가 하루하루 일상을 살아가던 평범한 사람들이었음이 느껴졌다. 더욱더 자세한 개개인의 이야기를 알고 싶다면 4·16 기억저장소 사이트를 방문하는 것을 추천한다. 304명이 가족들과 친구들에게 어떤 사람이었는지, 어떠한 삶을 살아왔는지 생생하게 기록된 약전을 읽을 수 있다.

기억 교실을 나서며 시간이 지날수록 흐려질지도 모르는 개개인의 이야기를 잊지 않는 것, 희미해질 때마다 떠올리도록 노력하는 것. 미래를 위한 한 걸음은 여기부터 시작이라는 생각이 들었다. 기억의 힘은 강하니까.

기억 위로 이어 갈 동행, 미래 희망관

기억관에서 나와 미래 희망관으로 걸음을 옮겼다. 별도의 건물로 지어진 미래 희망관으로 걸어가면서 맑은 하늘을 다시 한번 마주했다. 건물 사이를 걸으니 기억을 딛고 미래로 걸어가자는 설계의 뜻이 느껴졌다.

미래 희망관은 전 세대가 모여 서로 소통, 공감하는 지역 커뮤니티 공간이라고 한다. 『우연한 빵집』에 등장하는 '빵'이라는 곳이 상실을 겪은 인물들을 한데 모으는 역할을 하는 것처럼 상실을 겪고 남은 우리에게도 함께할 공간이 필요하다.

미래 희망관을 둘러보니 복합 문화 공간, 쉼터, 교육실, 홀 등 다양한 형태의 교육 시설로 이루어져 있어 시민들이 이용하기 좋은 공간이었다. 아이들이 기억 교실에서 보고 느낀 바를 이곳에서 활동으로 풀어내도 좋겠다. 기억 앨범 만들기, 재난 관련 토론 등 4·16 민주 시민 교육원에서 마련한 프로그램도 함께 운영되고 있으니, 답사 후 활동을 직접 기획하기 부담스럽다면 교육원 프로그램을 활용하는 것도 방법이다.

학교로 찾아가는 프로그램도 있고 교육원 방문형 프로그램도 있으니 미리 신청한 뒤 일정에 맞게 문학 답사를 기획해도 좋겠다. 미래 희망관 내 시설은 공문이나 누리집을 통해 대관 신청 후에 쓸 수 있다. 누리집에서는 별도의 가입 절차 없이 휴대전화 본인 인증 과정을 거치면 신청할 수 있다.

상실을 넘어 미래로

세월호 참사로부터 10년이 지났다. 짧지 않은 시간 동안 우리 사회는 믿을 수 없는 상실을 몇 번이나 더 경험했다. 상실 가까이에 있는 사람도, 가장자리에 있는 사람도 반복되는 고통을 겪으며 주변의 빈자리를 슬퍼해 왔다. 우리는 어쩌면 조금 무뎌졌을지 모를 슬픔을 이번 답사를 통해 새로이 되새기며 이러한 상실을 어떻게 기억하고 연대해야 할지 다시 고민하게 되었다.

학생들과 이런 고민을 함께 나누며 더 큰 용기와 연대의 목소리를 들을 수 있다면 얼마나 의미 있는 시간이 될까. 『우연한 빵집』의 등장인물들이 함께 빵을 만들었듯이, 우리는 학생들과 함께 이야기를 나누며 상실을 보듬고 나아갈 미래를 상상했다. 그럴 수 있다면 그곳이 어디든 위로와 희망을 나눌 수 있는 '빵'과 같은 공간이 될 것이다. 우리는 세상에 더 많은 '빵'이 생겨나기를 바라며 다시 각자의 교실로 향했다. 마음속에 따뜻한 빵 한 덩이씩을 품고서.

학생들과 함께 떠나기 좋은 답사 코스

세월호 참사에 희생된 사람들과 그들을 기억하는 사람들의 마음에 가까워질 수 있는 코스이다. 화랑 유원지와 민주 시민 교육원을 중심에 두고, 답사 일정과 시간에 따라 방문 순서를 조정해도 좋다.

난도: ★★
추천 계절: 봄, 가을
만남의 장소: 지하철 4호선 초지역 4번 출구

01 공감과 연대의 힘 화랑 유원지

학생들과 호숫가를 찬찬히 걸어 보며 봄에는 벚꽃길을, 가을에는 단풍길을 느껴 볼 수 있는 공간이다. 주변 잔디밭에 돗자리를 펼쳐 두고 함께 식사를 하기도 좋다. 세월호 참사 희생자를 추모하고 청소년의 꿈을 펼치는 복합 문화 공간인 생명 안전 공원 설립이 진행 중이다.

도보 25분 ▸▸

02 4·16 민주 시민 교육원 기억 교실

단원고 학생들과 교직원이 사용하던 교실과 교무실을 그대로 옮겨 놓은 곳이다. 『우연한 빵집』의 인물들의 마음, 남겨진 주변 사람들의 마음을 헤아려 보고, 방명록을 작성하며 추모하는 시간을 보내도 좋다.

도보 1분 ▸▸

03 4·16 민주 시민 교육원 미래 희망관

미래 희망관에는 1층 카페부터 4층 회의실까지 여러 배움 활동을 진행할 수 있는 공간이 마련되어 있다. 답사 후 독후 활동을 진행하거나 경기도 교육청과 함께 진행하는 민주 시민 교육 프로그램을 사전에 신청하여 참여해도 좋다.

도보 1분 ▸▸

01

02

03

한 학기 한 권 읽기 추천 도서 & 추천 콘텐츠

■■ 『기억하는 소설』(강영숙 외, 창비교육)

이 책은 교사들이 재난을 주제로 한 소설을 엮어 펴낸 소설집이다. 소설을 읽으며 재난과 이와 연관된 다양한 사회 문제에 대해 함께 생각해 보고, 재난과 상실에 관한 소설을 읽는 것에 어떤 의미가 있는지 이야기도 나눌 수 있다.

■■ 『나는 오래된 거리처럼 너를 사랑하고』(진은영, 문학과지성사)

진은영 시인의 시집은 상실과 슬픔에 관해 이야기하지만, 고통에 머무르는 것이 아니라 독자에게 사랑과 치유를 선사한다. 이 책의 2부는 세월호에 탑승한 한 학생과 그 가족에게 바쳐졌다. 희생자 생일 시를 쓰게 된 과정이나 작가의 인터뷰를 함께 찾아보며 읽으면 시집을 더 깊고 넓게 읽을 수 있다.

■■ 『슬픈 세상의 기쁜 말』(정혜윤, 위고)

세월호를 주제로 한 다큐멘터리를 기획하고 제작한 정혜윤 피디의 에세이이다. 재난, 참사, 재해와 같은 일이 빈번하게 반복되는 슬픈 세상 속에서 살아남은 사람들의 이야기를 듣고, 그들을 살게 한 기쁜 말을 옮겨 담았다. 자신을 살게 하는 말은 무엇일지, 우리는 어떤 말을 건네면 좋을지 함께 고민해 볼 수 있을 것이다.

■■ 영화 「혹시 내게 무슨 일이 생기면」

총기 난사 사고로 아이를 잃은 부모의 모습을 그린 단편 애니메이션 영화이다. 남겨진 사람들의 슬픔과 떠나간 아이의 감정까지 감각적으로 표현되어 있어 아이들이 재난을 겪은 사람들의 감정에 쉽게 공감할 수 있다. 한 학기 한 권 읽기 책을 읽기 전에 도입 활동으로 활용하기에도 적합하다.

소나기 마을 사랑 이야기

김성지(세화여자중학교)·김유나(월촌중학교)·배정인(신목중학교)·이은희(월촌중학교)·최은영(언주중학교)

소나기를 맞으며

황순원 문학관 → 소나기 마을 → 두물머리 → 세미원

개울가에서 조약돌을 주무르며 소녀를 기다리던 소년. '바보'라는 말로 진심을 숨기던 소녀. 어느 날 소나기처럼 너무나 짧게 왔다가 버린 안타깝고도 순수한 사랑. 「소나기」를 읽을 때면 항상 마음 한구석이 애잔하게 일렁이는 이유는 왜일까. 순수했던 시절과 서툴렀던 마음들이 함께 떠오르고, 서정적인 자연의 풍광과 이룰 수 없는 애틋한 소망들이 긴 여운으로 다가오기 때문이 아닐까. 저마다의 추억을 가지고 소년과 소녀가 노닐던 원두막과 개울, 들판이 펼쳐진 소나기 마을에 들어섰다.

#경기 양평 #소나기 #황순원 #두물머리 #세미원

여름 방학을 앞둔 7월, 황순원의 소설 「소나기」의 배경을 재현했다는 경기도 양평의 소나기 마을로 향했다. 대중교통으로 소나기 마을에 가기 위해서는 지하철 5호선 하남검단산역으로 가는 방법과 경의중앙선 양수역으로 가는 2가지 방법이 있다. 둘 다 열차에서 내려서 버스를 타야 하는데, 양수역에서는 8-6번 버스를 타고 수능1리에서 하차해 산과 경치를 보며 16분 정도 걸어가면 소나기 마을이 나온다. 매월 마지막 주 수요일은 소나기 마을 문화의 날이어서 모든 입장과 관람, 체험이 무료이다.

우리는 황순원의 「소나기」를 테마로 한 황순원 문학촌 소나기 마을을 둘러보고, 양평의 상징물인 두물머리와 세미원을 탐방하기로 했다. 황순원 문학촌에서는 작가의 전시관과 디지털 영상 체험관을 관람하고 다양한 교육 프로그램을 체험할 수 있었다. 두물머리와 세미원은 7~8월이 연꽃 문화제를 하는 시기여서 아름답게 핀 연꽃을 보며 연꽃의 역사를 공부해 볼 수 있는 프로그램이 마련되어 있었다.

답사를 가기 전, 학생들과 「소나기」를 함께 읽어 보면 어떨까? 줄거리를 다시 살피고 주요 소재와 인물의 성격과 특징을 짚어 보는 것이다. 활동을 중심으로 학생들이 스스로 정리할 수 있도록 하되, 작품에서 떠올릴 수 있는 자신만의 경험을 갖고 소나기 마을을 방문할 수 있도록 해 보자. 조약돌, 비단조개, 허수아비, 개울가, 분홍 스웨터……. 학생들이 떠올린 추억의 한 조각이 소나기 마을에서 더 선명해질 수 있다면 어떤 것이든 좋다.

순수했던 시절의 정취가 담긴,
양평 소나기 마을

소나기 마을은 '국민 소설'로 불리는 황순원의 대표작 「소나기」의 배경이 된 마을을 재현해 작품의 향토적, 서정적 정취를 생생하게 느껴 보고 작가의 삶과 문학 정신을 기리는 공간이다. 산책길 걷기, 소나기 분수 등 다양한 체험이 가능한 테마파크에서 독자들은 작품 속으로 들어가 보는 특별한 경험을 할 수 있다. 이곳은 황순원이 재직했던 경희대학교와 양평군이 자매결연을 맺어 2009년에 개관했다.

그렇다면 왜 양평일까? 양평은 '예술의 고장'으로 불릴 만큼 수많은 예술인과 문학인들이 자리를 잡은 곳이지만 사실 황순원 작가의 연고지는 아니다. 그러나 작품에 "내일 소녀네가 양평읍으로 이사 간다."라는 내용의 구절이 등장하고, 북녘이 고향인 황순원 작가가 유년의 고향을 닮은 양평을 각별히 아꼈다는 점에서 「소나기」의 배경이 양평일 것이라 추측해 볼 수 있다.

황순원은 작품에 등장하는 사소한 길 하나도 어디로 난 것인지 직접 취재해 정확히 서술하고자 했다는데, 「소나기」는 양평을 다니며 구상했다고 전해진다.

황순원 문학의 정수를 만나 볼 수 있는 황순원 문학관

먼저 들러야 하는 곳은 일제 강점기 말 탄압 속에서도 아름다운 우리말 작품들을 써내 세대를 막론하고 많은 독자들에게 사랑을 받아 온 작가의 작품 인생이 고스란히 담겨 있는 황순원 문학관이다. 입구에서 소나기 광장을 왼쪽으로 두고 들어가면 황순원 문학관이 기다리고 있다.

문학관 건물은 총 3층으로, 「소나기」에 등장하는 수숫단 모양을 형상화했다고 한다. 중앙 로비에는 황순원의 작품 연보가 시대별로 전시되어 있으며, 집필 공간과 유품 등을 통해 황순원의 생애

황순원 문학관에서는 황순원의 소박하고 곧은 품성과 치열한 장인 정신이 담긴 작품 세계를 만날 수 있으며 황순원 작가 부부의 묘역에도 들러 볼 수 있다.

와 문학을 한눈에 볼 수 있는 제1 전시실과 작가의 대표작들을 파노라마처럼 소개하는 제2 전시실이 있다. 제1 전시실은 황순원이 집필하던 서재를 그대로 옮겨 누어 마치 작가가 글을 쓰다가 잠시 자리를 비운 것만 같이 느껴졌다. 좌탁과 필기구에서 황순원의 소박하고 곧은 품성을 짐작할 수 있었다. 모든 작품의 교정을 직접 보았다던 작가의 치열한 장인 정신이 담긴 공간이었다. 이어서 펼쳐지는 '작가 연대기'에서는 「소나기」 이외에도 황순원의 대표 작품들 속 장면을 조형물과 영상으로 재현해 두었다.

송 영감의 삶을 통해 장인 정신과 비극적 현실 사이의 고뇌를 그린 「독 짓는 늙은이」, 6·25 전쟁에 따른 민족의 비극적 상황과 인간애를 상징적으로 다룬 「학」, 우화적 기법으로 현실의 비극을 곱씹게 하는 「목넘이 마을의 개」 등 각 작품의 인물과 배경, 주제 등에 대한 설명이 상세히 잘 나와 있으니 차분히 감상하고 학생들과 기억에 남는 작품에 대해 소감을 나누어 볼 수 있다. 전시관 바로 밖에 설치되어 있는 가판대에서 작품 퀴즈, 삼행시 짓기 활동도 해 볼 수 있다.

영상 체험관의 경우 '디지털 「소나기」 산책'을 지나 '공부 안 해도 되는 문학 교실'로 가서 2차 창작 활동을 해 보게끔 구성되어 있다. 각 관은 벽면과 바닥의 애니메이션 영상, 거울 반사 효과와 인터랙티브 기법 등을 통해 「소나기」 속 소년과 소녀가 지나갔던 원두막, 개울가, 소나기 그친 하늘과 들판 등을 실감 나게 구현해 두었다. 소설 속의 모티브들로 꾸며진 체험관을 누비며 다른 세계 속으로 들어간 듯한 황홀한 경험을 할 수 있고, 소설에 대한 새로운 영감도 얻을 수 있다. 직접 엽서를 그리고 써서 바로 자신의 휴대폰으로 전송할 수 있는 디지털 기기를 이용해 문학관에서 느낀 바를 오래도록 간직할 수도 있다. 학교로 돌아가 답사 후 활동으로 결과물을 공유해 보는 것은 어떨까?

문학관 체험이 끝난 뒤에는 그 옆 양지바른 곳에 자리한 황순원 작가 부부 묘역에도 들러 보자. 치열한 현실 인식과 우리말의 아름다움을 형상화한 황순원의 작품들을 다시 한번 곱씹어 보며, 세월을 뛰어넘어 작품으로 살아 숨 쉬는 작가의 정신을 느껴 보는 시간을 보내면 좋겠다. 매년 9월에는 황순원 작가와 소나기 마을을 알리고 새로운 문학인을 양성하고자 전국 초중고 재학생을 대상으로 '황순원 문학제'가 열린다.

행복의 소나기를 맞다

소나기 마을은 입구에서부터 느껴지는 푸른 물 냄새로 사람들의 발걸음을 붙잡는다. 넓고 푸른 잔디와 촉촉하게 젖어 있는 땅. 무더운 여름철 잔디와 물이 만나 만들어 낸 냄새로 마을에 들어가기 전부터 우리는 설렜다. 입구부터 시선을 끄는 넓은 잔디밭은 바로 소나기를 맞는 체험을 할 수 있는 광장이다.

소나기 마을에서 놓쳐서는 안 될 1가지가 바로 소나기 체험이

작품 속 공간을 재현해 둔 소나기 마을에서 직접 소년과 소녀가 되어 본다.

다. 실내에 있다가도 정각이 되면 신데렐라처럼 소나기 광장으로 뛰어나가야 한다. 소나기 광장에는 노즐을 통해 인공적으로 소나기를 만드는 시설이 있어 매일 1시간 간격으로 소나기가 내린다. 소나기를 직접 맞으며 뛰어다녀 보기도 하고 원두막이나 수숫단으로 비를 피해 보기도 하며 직접 소년과 소녀가 되어 볼 수 있다.

비를 맞고 있으려니 비가 온다는 사실보다 비에 젖어 추워하는 소녀를 신경 쓰던 소설 속 소년의 마음이 고스란히 느껴졌다. 소설을 온몸으로 체험해 보는 순간이었다.

소설 속 인물들에게 한껏 몰입해 있는데 "꺄르르!" 하는 웃음

소설 속 소나기와 달리 인공 소나기 체험은 웃음 소리 가득한 행복한 물놀이 시간이다.

소리가 들렸다. 인공 소나기는 작품의 진한 여운을 주기도 하지만 아이들에겐 행복한 물놀이 시간이다. 소녀를 아프게 했던 소설 속 소나기와는 달리 소나기 마을의 소나기는 웃음소리가 끊이질 않는 행복의 소나기였다. 인공 소나기가 그치면 무지개가 떠오른다. 작품과는 다른 결말을 보여 주는 그 순간을 사진으로 꼭 남겨 두도록 하자. 인공 소나기 체험은 4~10월에 오전 11시부터 오후 4시까지(주말은 오후 5시까지) 매 시각 정각에 내리고 실제로 비가 오는 날에는 운영되지 않는다.

두 물이 만나 하나가 되는 곳에서 연꽃과 갈꽃을 만나다

쭉 뻗은 두물머리길 끝에 있는 정문에 도달하기 전 사잇길로 들어서면 '두물머리 관광 안내소'가 나온다. 두물머리에 대한 문화 관광 해설과 연자 발아 체험을 무료로 신청할 수 있다. 문화 관광 해설은 한국관광공사에서 운영하는 '문화 관광 해설사 통합예약' 사이트를 통해 예약할 수 있으며, 오전 10시부터 오후 4시까지 1시간 간격으로 운영된다. 해설사의 설명을 통해 두물머리의 의미와 생태·지리·역사적 장소로서 두물머리가 갖는 의의에 대해 알 수 있었다.

조선 시대 겸재 정선의 그림에서도 찾아볼 수 있는 두물머리는 금강산에서 흘러오는 북한강과 강원도에서 흘러오는 남한강, 두 물이 합쳐지는 곳이다. 두물머리의 풍경은 거대하고 화려하기보다 수수하고 잔잔한 느낌을 주는데 고즈넉하게 흘러가는 강물과 이를 둘러싼 완만한 산등성이를 바라보면 마음이 차분해진다.

연자 발아 체험은 세미원과 두물머리에서 많이 발견할 수 있는 연꽃에 대해 알려 주는 체험이다. 관광 안내소 안에서 15분 내외로 진행되는데 두물머리에 왜 연꽃을 심기 시작했는지, '연(蓮)'의 역사와 종류, 특징은 무엇인지 등을 들을 수 있다. 각자 5개의 연자를 받아 물이 안으로 스며들 수 있도록 껍질을 탈각시켜 보았다. 너무도 단단해서 껍질을 깨는 데 꽤 애를 먹었다. 이렇게 돌처럼 단단한 씨 안에서 싹이 나올 수 있을까 의아했는데 집으로 가져간 지 3일 정도가 되자 뽀얀 연두빛 새싹이 나왔고, 10일이 지나니 아침저녁이 다르게 연잎이 쑥쑥 자랐다.

단단했던 연자가 깨어지고 연잎이 점차 자라는 모습을 보면서 「소나기」 속 소년이 소녀에게 마음을 열어 가는 과정이 떠올랐다. 징검다리 건너편에서 "이 바보."라며 소녀가 던졌던 하얀 조약돌, 맑은 가을 햇살 아래 갈꽃 사이 빛나던 소녀의 모습이 소년의 마음속 작은 틈을 비집고 들어와 아련한 첫사랑의 새싹을 움트게 해 준 것은 아니었을까? 단발머리를 나풀거리며 갈꽃 사이로 멀어지던 소녀의 모습을 떠올리며 우리는 두물머리 물래길로 발길을 돌렸다.

두물머리 물래길을 따라 걷다 보면 다양한 두물머리의 풍경을

단단했던 연자가 깨어지고 연잎이 점차 자라는 모습을 보면서 아련한 첫사랑이 소년의 마음속 작은 틈을 비집고 들어와 새싹을 틔우는 모습이 떠올랐다.

만날 수 있다. 느티나무 쉼터에서는 수령이 400년 넘은 느티나무가 아름드리 그늘을 드리우고 있었고, 과거 나루터의 모습을 상상해 볼 수 있는 돛단배가 강 위에 떠 있었다. 물안개 쉼터와 소원 쉼터에는 액자 포토 존과 소원 나무가 있어 관광객들이 가장 붐빈다. 우리는 조금은 한적해 보이는 길로 들어서 두물경으로 향했다. 두물경에서는 사방을 둘러싼 산과 잔잔하게 흐르는 강물을 탁 트인 시선으로 마주할 수 있었다. 두물경 바닥에는 커다란 해동 지도가 그려져 있었는데 지도에서 직접 두물머리의 위치도 찾아보았다.

두물경을 등지고 걸어 들어온 반대편의 산책로를 따라 가면 '버드나무 숲'을 지나 '갈대 쉼터'를 만날 수 있다. 소년이 소녀에게 마음을 빼앗겼던 「소나기」의 인상 깊은 첫 장면을 눈으로 확인할 수 있는 코스라 할 수 있다. 여름의 한복판에 방문했기에 바람결에 파도치듯 흩날리는 푸른 갈대를 볼 수 있었는데 「소나기」의 계절인 가을에 방문한다면 소녀가 보이지 않을 만큼 훌쩍 자란 갈대가 햇살 아래 반짝이는 모습을 볼 수 있을 것이다. 흔들리는 갈대 사이에서 소년이 되어, 혹은 소녀가 되어 자신만의 조약돌을 품고 수줍게 사진을 찍어 보면 어떨까?

> 가만히 하늘을 들여다보려면 눈썹에 파란 물감이 든다. 두 손으로 따뜻한 볼을 씻어 보면 손바닥에도 파란 물감이 묻어난다. 다시 손바닥을 들여다본다. 손금에는 맑은 강물이 흐르

고, 맑은 강물이 흐르고, 강물 속에는 사랑처럼 슬픈 얼굴-아름다운 순이의 얼굴이 어린다.

– 윤동주, 「소년」 중

윤동주의 시 속에서 소년의 얼굴과 손에 옮아온 가을처럼, 「소나기」에서 소녀가 소년의 등에서 옮아온 것이라 믿는 스웨터의 얼룩 또한 미처 알아채기도 전에 물든, 그래서 자꾸 꺼내 들여다보고 싶은 풋사랑의 감정일 것이다. 누구에게나 불쑥 다가와 아련한 추억을 남기는 첫사랑은 존재하기에, 독자들은 옷을 그대로 입혀 묻어 달라는 「소나기」 속 소녀의 마지막 말에 함께 가슴 아리는 것이 아닐까. 소나기 마을에서 소년과 소녀의 이야기를 곱씹어 보는 체험은 비슷한 성장통을 겪고 있는 학생들에게 저마다의 의미로 다가와 마음에 남을 것이다.

학생들과 함께 떠나기 좋은 답사 코스

황순원 작가의 「소나기」를 온몸으로 체험하는 코스이다. 황순원 문학촌을 중심으로 하되, 근처 두물머리와 세미원에 들러 자연을 만끽하는 것도 추천한다.

난도: ★★★
추천 계절: 여름, 초가을
만남의 장소: 경의중앙선 양수역

01 「소나기」의 작가 황순원 문학관

황순원 작가의 일생과 작품 세계를 살펴보며 작품에 관련된 여러 체험 활동을 진행할 수 있다. 문학관 옆에 자리한 황순원 작가 부부 묘역에도 들러 보자.

도보 1분 ▸▸

02 인공 소나기가 내리는 소나기 마을

황순원 문학관 외부에 마련된 소나기 광장에서 인공 소나기를 맞으며 인물에 대한 이해를 확장할 수 있다. 운영 시간과 소나기가 내리는 시간을 잘 확인하자.

자가용 20분 ▸▸

03 두 물이 하나가 되는 두물머리

두물머리에 왔다면 연잎 핫도그를 꼭 먹어 보자. 핫도그를 먹으며 주변을 가볍게 산책하고, 두물머리 관광 안내소에 들러 연잎 발아 체험을 해 볼 수 있다. 1회 체험 인원은 10명 내외이며, 예약은 현장 방문으로 진행된다.

자가용 6분, 도보 25분 ▸▸

04 연꽃과 갈꽃이 만나는 세미원

두물머리를 둘러보고 시간이 남는다면 추천하는 코스이다. 7월에서 8월 사이에 연꽃 문화제가 진행되므로 해당 기간에 방문하면 아름다운 연꽃을 볼 수 있다.

자가용 5분 ▸▸

02

03

04

한 학기 한 권 읽기 추천 도서&추천 콘텐츠

■■『독 짓는 늙은이』(황순원, 문학과지성사)

「소나기」부터 「별」, 「목넘이 마을의 개」 등 황순원 작가의 대표 단편 소설 20편이 실려 있는 책이다. 황순원 문학관의 각 전시실에는 대표작에 대한 설명과 영상 전시가 기획되어 있기 때문에 방문하기 전에 작품들을 읽어 보고 답사를 떠난다면 전시 이해에 도움이 될 것이다.

■■『소년, 소녀를 만나다』(황순원문학촌소나기마을 엮음, 문학과지성사)

황순원 탄생 100주기를 맞이하여 9명의 작가들이 상상한 「소나기」의 뒷이야기이다. 작품을 감상하며 「소나기」에 대한 이해를 바탕으로 다양한 상상력을 기를 수 있을 것이다. 학생들이 직접 뒷이야기를 이어 쓰는 활동과 작가들의 작품과 비교하여 읽어 보는 활동을 진행할 수 있다.

■■『소나기 그리고 소나기』(황순원 외 11명, 문학나무)

원작 「소나기」와 함께 스마트 소설 공모전을 통해 당선된 11편의 작품이 실려 있다. 원작을 패러디한 작품, 오랜 시간이 흐른 뒤 소년의 모습을 상상하여 창작한 작품, 원작의 장르를 비튼 작품들까지 다양하게 각색된 소설들을 살펴볼 수 있다.

■■ 영화 「소나기」

소설 「소나기」를 애니메이션으로 구현한 영화이다. 원작에서 큰 각색 없이 영상화하였기 때문에 소설과 내용의 차이를 비교하기보다는 형식의 변화에 초점을 맞추기 좋다. 각자가 활자로 읽으며 상상했던 모습과 영상의 모습이 어떻게 같고 다른지, 원작의 표현을 잘 살린 것 같은지, 학생들과 이야기를 나누어 볼 수 있을 것이다.

평화로 가는 길

국윤나(오마중학교)·김지은(내정중학교)·박지윤(중평중학교)
방예진(길음중학교)·이수빈(덕이중학교)

휴전에서 평화로,
우리는 하나

평화의 종, 평화의 돌→ 자유의 다리, 독개다리 → 제3 땅굴(DMZ 투어) → 도라 전망대 → 평화 누리, 통일 기원 돌무지

휴전한 지도 벌써 70년이 넘었다. 우리의 일상에서 전쟁은 뉴스에서나 보는 것이 되었고, 휴전이니 통일이니 하는 것도 언제 할지 모르는 일이 되어 허공에 흩어지는 듯 보인다. 하지만 아직 통일을 위해 우리가 해야 하는 일은 남아 있고, 잊지 말고 추모해야 하는 것도 남아 있다. 전쟁과 분단을 다룬 문학 작품들을 읽고, 치열했던 포화와 상흔이 고스란히 남은 현장에서 전쟁과 평화에 대해 다시 생각해 보았다.

#경기 파주 #임진각 #통일 #전쟁 #평화 #수난이대 #기억 속의 들꽃

군용차가 다니고 철조망이 둘러쳐진 길을 지나 임진각에 도착했다. 임진각은 분단의 아픔과 평화에 대한 염원이 담긴 통일 안보 관광지이다. 경기도 파주시 문산읍에 위치한 곳으로, 경의중앙선을 타고 임진각역에 내린 뒤 1번 출구로 나와 10분 정도 걸으면 도착한다. 가까우면서도 멀고, 친숙하면서도 낯선 이곳을 여행하면서 어떤 것을 보고 느끼게 될지 짐작하기 어려웠다. 우리는 답사 전에 KBS 다큐멘터리 『DMZ』 1편을 통해 DMZ에 대한 배경지식을 쌓고 6·25 전쟁을 배경으로 한 윤흥길의 「기억 속의 들꽃」과 하근찬의 「수난이대」를 관련 작품으로 읽었다.

2023년은 정전 협정 70주년이 되는 해였다. 70년의 세월이 흐름에 따라 6·25 전쟁에 대한 기억도 점점 희미해지고 있다. 하지만 전쟁의 상처는 직접적이든 간접적이든 우리의 무의식 속에 남아 있다. 전쟁의 참혹함, 그리고 평화를 향한 간절한 염원을 생각하며 우리는 파주 임진각의 여정을 시작했다.

평화를 향한 눈물의 염원

가장 먼저 DMZ 평화 관광 셔틀버스를 예매하기로 했다. 8시부터 배부하는 구매 순번표를 받아 9시부터 표를 구매할 수 있다. 표를 구입할 때부터 투어 버스 안에서까지 계속 신분증 검사를 하는 걸 보고 우리가 군사 지역에 왔다는 것을 느낄 수 있었다.

버스를 타기 전에 먼저 임진각 평화 누리 안을 찬찬히 걸어 보기로 했다. 가장 먼저 눈에 띈 것은 작은 누각에 있는 평화의 종이었다. 평화의 종은 21세기를 맞이하면서 민족의 화합과 통일, 인류의 평화를 염원하며 건립되었다. 6·25 전쟁 당시 우리를 지원해 준 21개국에서 종의 재료를 공수해 21톤의 무게, 21개의 계단으로 만들어졌다. 바로 옆에는 세계 64개국, 86개 전쟁터의 한과 슬픔이 서린 돌을 모은 평화의 돌이 전시되어 있다. 더는 눈물과 고통 없이 평화로운 삶이 영원하기를 염원하는 마음이 담겨 있다.

세계 64개국, 86개 전쟁터의 한과 슬픔이 서린 돌을 모아, 앞으로는 어디에서도 전쟁의 고통이 없길 바라며 평화의 돌을 전시하고 있다.

6·25 전쟁 이후 남북 분단으로 많은 이들이 고향으로 돌아가지 못하고 있다. 휴전 후 북한을 탈출한 실향민도 500만 명이 넘는다고 한다. 평화의 종과 평화의 돌 좌측 뒤쪽에 자리한 망배단은 실향민들이 명절 때 북한에 있는 가족들을 기릴 수 있도록 마련된 공간이다. 제단과 향로, 망배탑이 자리한다. 북쪽과 조금이나마 가까운 이 공간에서 만날 수 없는 가족들을 그리워만 했을 이들을 생각하니 마음이 무거웠다.

오르막길을 따라 쭉 들어가면 좌측에는 열차, 우측에는 철길이 보인다. 열차의 정식 명칭은 경의선 장단역 증기 기관차이다. 군수 물자 운반을 위해 개성에서 평양으로 가던 중 중공군이 6·25 전쟁에 개입하여 다시 후진하다 장단역에서 파괴되었던 열차이다. 증기 기관차의 군데군데에는 수많은 총알 구멍이 눈에 띈다. 무려 1,020여 개에 이른다는 총탄 자국들을 바라보니 공포스럽고 섬뜩했던 당시 전쟁의 장면이 생생하게 느껴졌다.

윤흥길의 소설 「기억 속의 들꽃」에는 비행기 폭음에 놀라 목숨을 잃는 전쟁고아 소녀가 등장한다. 들꽃처럼 작고 여린 아이가 전쟁으로 무참히 희생된 것처럼, 소년이 이 죽음을 목격하고 기억하며 아픔을 떠안는 것처럼, 전쟁의 기억은 오랜 시간이 지난 오늘날까지도 우리에게 마주할 수밖에 없는 아픔이다.

우측의 철길 곳곳에는 평화를 간절히 염원하는 마음이 느껴진다. 평화를 소망하는 글이 적힌 오색의 리본들이 철조망에 가득 매달려 있다. 철길 중간에는 2개의 평화의 소녀상이 놓여 있는데,

분단이 되면서 귀향하지 못한 할머니들이 고향 가는 기차를 기다리는 모습을 담았다고 한다. 통일 기원 느린 우체통도 보인다. 오른쪽의 파란색 '통일 염원 우체통'에 편지를 넣으면 전시회 때 일반인들에게 공개되고 왼쪽의 빨간색 '통일 기원 느린 우체통'에 편지를 넣으면 1년 후에 봉투에 적힌 주소로 편지가 발송된다. 학생들과 함께 마음을 담은 편지를 띄워 보는 것도 좋겠다.

철길을 따라 끝까지 들어가면 자유의 다리와 독개 다리가 펼쳐져 있다. 1953년에 공산군의 포로였던 1만 2,773명의 한국군과 유엔군이 바로 이 자유의 다리를 건너 귀환했다고 한다. 전쟁 포로의 공포에서 풀려나 고향과 가족의 품으로 돌아온 수많은 이들의 절절한 마음이 서린 공간이다.

자유의 다리를 바라보니 하근찬의 단편 소설 「수난이대」의 장면이 떠올랐다. 전쟁터에 나간 아들이 살아 돌아오는 날, 떨리는 가슴을 부여잡고 아들을 만나러 간 아버지, 전쟁에서 수류탄을 맞아 한쪽 다리를 잃고 고향에 돌아온 아들. 자유의 다리를 건너는 포로들과 이들을 기다리는 가족 역시 '만도'와 '진수'처럼 서로를 애타게 그리워했을 것이다.

독개 다리는 전쟁 전 철교의 형태를 재현한 다리이다. 독개 다리에는 총탄 자국, 그리고 다양한 생물이 서식하는 공간인 '둠벙'이 있다. 전쟁의 흔적과 생태계의 아름다움이 공존하는 이 역설적인 공간의 끝에는 "이곳은 통일이 되는 그날 철거됩니다."라는 문구가 적혀 있었다. 전쟁이 끝나지 않는 이상 우리가 사는 이곳

공산군의 포로였던 1만 2,773명의 한국군과 유엔군이 가족의 품으로 귀환했던 자유의 다리 앞에 서면, 「수난이대」에서 아버지 만도와 아들 진수가 만나는 장면이 떠오른다.

은 모순된 곳일 수밖에 없고, 진정한 평화가 찾아왔을 때 비로소 아름다운 세상이 펼쳐진다는 메시지를 읽어 보았다.

제3 땅굴, DMZ 영상관, DMZ 전시관

파주 DMZ 평화 관광(약 2시간 30분 소요)의 첫 번째 코스는 제3 땅굴(약 1시간 소요)이다. 북한이 판 남침용 땅굴은 현재까지 총 4개가 발견되었고, 제3 땅굴은 서울에서 불과 52킬로미터 거리에 있다. 북한의 병력 3만 명이 1시간 이내에 이동할 수 있는 규모로 가장 위협적인 땅굴로 평가받는다.

셔틀버스를 타고 제3 땅굴 입구에 도착하면 모든 물품을 보관함에 맡긴 후 안전모를 쓰고 이동해야 한다. 땅굴 내부는 265미터까지 이동할 수 있으며, 그 뒤에는 차단벽을 설치하여 견학할 수 없다. 북한군의 침입을 막기 위해 3중 콘크리트 장벽을 설치했기 때문이다. 북한이 판 땅굴 안에 직접 들어가서 군사 분계선 근처까지 가니 긴장되면서도 경각심이 느껴졌다. 휴전 중이며 분단 상태인, 전쟁으로부터 완전히 자유롭지 못한 우리 민족의 현실을 실감할 수 있었다.

제3 땅굴 입구 바로 옆에는 100여 명이 앉을 수 있는 DMZ 영상관이 있다. 영상은 약 7분 정도 길이로 6·25 전쟁과 DMZ가

생긴 배경, 분단 현실, 남북 정상의 만남 등과 함께 평화를 염원하는 메시지를 전한다. 이어지는 DMZ 전시관에서는 6·25 전쟁부터 현재까지의 이야기와 디오라마, 전시품 등을 볼 수 있다. 다이너마이트를 이용하여 땅굴을 파는 북한 사람들의 모습이나 전쟁 당시 사용한 무기와 철모 등을 보며 미디어에서 다루는 전쟁과 분단이 실제로 우리 민족이 겪었던 아픔이고, 그 원인인 전쟁이 아직 종전되지 않았다는 것을 눈앞에서 확인했다.

학생들이 견학하면서 관람한 내용과 느낀 점을 정리하고, 평화를 위해 어떤 노력을 할 수 있을지 고민해 보도록 활동지를 구성하여 제공하면 좋을 것 같다. 땅굴에서 몸으로 느낀 전쟁의 체험을 바탕으로 권정생의 「몽실언니」, 손창섭의 「비 오는 날」, 이강백의 「들판에서」 등 6·25 전쟁 및 분단을 배경으로 하는 문학 작품을 연계하면 학생들의 감상의 깊이가 더해질 것이다.

도라 전망대에서
분단의 끝과 통일의 시작을 보다

제3 땅굴 코스가 끝나면 버스를 다시 타고 도라 전망대로 이동한다. 버스에서 내리면 "분단의 끝 통일의 시작"이라고 쓰여 있는 옛 도라 전망대 전경이 보인다. 2018년까지 30여 년간 사용되던 옛 도라 전망대는 현재 관람이 중단되어 신도라 전망대를 이용해야 한다. 도라 전망대는 DMZ 안에 위치해 북한을 가장 가까이 볼 수 있는 우리나라의 최북단 전망대이다. 전망대 3층의 옥외 전망대에서는 여러 대의 망원경으로 북한의 모습을 직접 볼 수 있다. 북한의 선전 마을, 농토 등이 바로 눈앞에 펼쳐져 있고, 망원경으로 개성 시가지 일부, 개성 공단, 김일성 동상도 볼 수 있다. 망원경 속의 풍경은 평화로웠다. 우리나라와 같은 나무가 있었고, 같은 물이 흐르고 있었고, 같은 흙이 있었으며 같은 하늘이 펼쳐져 있었다. 학생들과 함께 남북한이 둘로 나뉜 풍경을 보며 떠오르는 시상을 활용해 시 쓰기 활동을 해 보아도 좋겠다.

도라 전망대에 있는 망원경으로 찍은 북한의 모습. 우리나라와 같은 하늘, 같은 물이 흐르는 망원경 속의 풍경은 평화로웠다.

전망대 1층에서는 개성 공단과 관련된 디지털 미디어 전시, 경의선 열차 운행도 등의 상설 전시가 진행 중이므로 학생들과 함께 둘러보며 이야기를 나누기 좋다. 특히 인상 깊었던 부분은 '2018 남북 정상 회담 이전 남북한 시간'이다. 2018 남북 정상 회담 이전의 평양 시간은 서울 시간보다 30분이 늦었다. 2018년 5월 5일 평양 시간을 서울 시간에 맞춰 남북한의 시간은 같아졌다. 이러한 작은 변화 하나하나가 모여 통일의 가능성이 열릴 수 있지 않을까 하는 생각이 들었다. 학생들과 '시간'처럼 남북한이 하나로 합칠 수 있는 것에는 어떤 것이 있을지, 이를 위해 우리가 실천할 수 있는 방법은 무엇일지 토의해 보아도 좋을 것이다.

녹슨 철조망 사이로 피어날 풀꽃, 과거를 기억하며 나아갈 미래

우리의 과거를 들여다볼 수 있는 DMZ 곳곳을 살펴봤다면 마무리로 우리의 미래를 생각해 볼 수 있는 평화 누리 공원을 찾는 것을 추천한다. 임진각 스테이션 맞은편 주차장을 건너가면 넓은 공원이 나온다. 평화 누리 공원은 여러 전시 작품들이 있는 공간이기에 학생들에게 자유 시간을 주어 사진을 찍게 해도 좋고 학습지를 활용한 활동을 진행해도 좋다.

평화 누리 공원 초입의 통일 기원 돌무지는 방문객들이 직접

바람의 언덕에서 3,000개의 바람개비 사이를 지나는 바람은 이념에 구애받지 않고 남북을 자유롭게 오간다.

돌판을 구입하여 미래까지 전달하고 싶은 글을 새겨 돌기둥에 걸어 놓은 것이다. 돌판 판매 비용은 북한 어린이들을 위해 사용되었다고 한다. 학생들에게 어떤 메시지를 돌판에 적고 싶은지 떠올려 보게 할 수 있다.

돌무지를 지나 넓은 어울터, 음악의 언덕으로 이동했다. 넓은 잔디밭에 대형 야외 공연장이 있는 이곳은 CNN이 선정한 '한국에서 가 봐야 하는 아름다운 50곳'에 뽑히기도 했다. 공원 내 짧은 다리를 건너면 바람의 언덕을 만날 수 있다. 바람의 언덕은 임진각 평화 누리의 상징으로, 학생들이 기대하고 오는 곳 중 하나일 것이다. 이념에 구애받지 않고 남북을 자유롭게 왕래하는 바람을 3,000개의 바람개비를 심어 시각화했다.

전쟁의 흔적을 고스란히 보여 주는 제3 땅굴과 멀리서나마 북한의 삶을 지켜 볼 수 있는 도라 전망대에서 우리는 흥미, 긴장, 안타까움을 동시에 느꼈다. 역사 교과서나 문학 작품에서만 접했던 분단의 현실을 확인하며 전쟁이 과거의 일도, 남의 일도 아님을 깨달았다. 지금 이 시간에도 어딘가에서는 전쟁이 계속되고 있다. 이 답사를 통해 우리가 겪은 6·25 전쟁과 분단뿐 아니라 더 큰 범위의 '전쟁과 평화'에 대해 생각해 볼 수 있을 것이다. 진정한 평화가 이루어지는 날, DMZ라는 공간이 분단의 아픔을 이겨 내고 통일과 화합의 성과를 보여 주는 평화 견학지로 쓰일 날을 그려 본다.

학생들과 함께 떠나기 좋은 답사 코스

통일과 평화를 주제로 답사를 고민한다면 파주 임진각을 추천한다. 제3 땅굴, 도라 전망대, 평화 누리 공원을 돌아보면서 남북한의 과거와 현재에 대해 생각해 볼 수 있는 기회를 마련해 본다.

난도: ★★
추천 계절: 봄, 가을
만남의 장소: 한반도 생태 평화 종합 관광 센터

01 DMZ 답사의 시작점 한반도 생태 평화 종합 관광 센터

DMZ 버스 투어는 임진각에서 출발해 제3 땅굴, 도라 전망대, 통일촌 순으로 이어지는 3시간 코스이다. 9시부터 DMZ 버스 투어 매표가 시작된다. 최소 8시 30분에는 줄을 서야 원하는 오전 시간대에 예매를 할 수 있다. 8시 15분 정도에는 줄을 서기를 추천한다.
단체 관광(30명)의 경우 9시 10분부터 10분 단위로 출발하는데 임진각 주변을 구경할 수 있도록 9시 50분쯤 출발하는 것이 좋다. 개인 관광의 경우 9시 20분부터 20~30분 간격으로 버스가 있으니 미리 시간표를 확인해야 한다.
단체 관광으로 예약하면 제3 땅굴에 갈 때 도보로만 갈 수 있으며, 모노레일을 타지 못한다. 버스를 대절해서 오지 않는 경우에는 개인 관광으로 신청하여 도보와 모노레일 중에서 고르면 된다.
성인인 교사는 신분을 지참해야 하고 학생은 신분증이 필요하지 않다. 그 대신 참가하는 사람들의 이름과 생일, 전화번호가 적힌 명단을 신분증과 함께 제시해야 한다.
단체 관광은 대기 번호 없이 선착순으로 신청한다. 전화·온라인 예약, 사전 예약은 받지 않지 않고 당일 현장 예매만 받는다.

도보 5분 ▸▸

02 평화를 향한 염원 평화의 종, 평화의 돌

한반도 생태 평화 종합 관광 센터에서 조금만 올라오면 평화의 종과 평화의 돌이 보인다. 가볍게 살펴보며 평화를 염원하는 여러 사람들의 정성을 확인할 수 있다. 뒤쪽에는 실향민을 위한 망배단이 마련되어 있다.

도보 2분 ▸▸

03 경의선 장단역 증기 기관차 자유의 다리, 독개 다리

6·25 전쟁 중에 장단역에서 파괴된 경의선 장단역 증기 기관차는 수많은 총탄 자국으로 당시의 처참함을 되살려 보여 준다. 자유의 다리는 전쟁 포로들이 귀환할 때 건너온 다리이다. 실제로 걸어 볼 수 있는데 학생들이 다리에서 위험한 장난을 치지 않도록 미리 안전 교육을 해야 한다. 자유의 다리를 지나쳐 앞으로 쭉 가면 독개 다리도 볼 수 있다.

도보 7분 ▸▸

04 끝나지 않은 분단의 현실 제3 땅굴, DMZ 영상관, DMZ 투어

DMZ 투어를 시작하려면 한반도 생태 평화 종합 관광 센터에 가야 한다. 버스 출발 10분 전까지는 도착하는 것이 좋다. 가이드가 버스에서부터 함께하고 주로 영어로 설명을 한다. 군사 지역이기 때문에 사진 촬영이 금지되는 곳이 있으니 학생들이 조심하도록 관심을 기울여야 한다.
모노레일로 들어가면 6분 정도 걸리고, 도보로 들어가면 15분 정도 걸린다. 땅굴 내부는 무척 시원해서 여름이라도 얇은 긴팔옷을 입는 것을 추천한다. 폐소 공포증이 있는 학생들은 들어가지 않는 것이 좋다. 들어가기 전에 휴대폰, 가방 등은 전부 사물함에 넣어야 한다. 땅굴 구경 다 하고 나오면 통일 관련 영상을 보고 박물관을 간단히 구경할 수 있다. 땅굴 내부는 촬영할 수 없다.

버스 10분 ▸▸

05 분단의 끝, 통일의 시작 도라 전망대

북한이 보이는 전망대가 있다. 전망이 매우 좋으며 DMZ 안에 위치해 북한을 가장 가까이 볼 수 있는 남측의 최북단 전망대이다. 3층의 옥외 전망대에서는 여러 대의 망원경으로 북한의 모습을 직접 볼 수 있다.

버스 10분 ▸▸

06 평화 누리 공원, 통일 기원 돌무지, 바람의 언덕

잔디밭이 펼쳐져 있어서 학생들이 자유롭게 사진을 찍고 돌아다닐 수 있다. 그늘이 거의 없어서 여름에는 다소 덥고 힘들 수 있지만 근처에 카페가 있으므로 쉬고 싶을 땐 그곳에 가면 된다.

버스 5분 ▸▸

01

02

03

04

05

06

한 학기 한 권 읽기 추천 도서&추천 콘텐츠

■■『DMZ, 시인들의 메시지』(한국 시인 협회, 문학세계사)

"세상 어디에도 없는 단 하나의 은유, DMZ"라는 말로 시작되는 이 책은 한국 시인 협회에서 DMZ를 노래하며 엮은 테마 시집이다. 학생들이 답사를 가기 전에 이 시집을 훑어본다면 다양한 관점으로 DMZ를 바라볼 수 있게 될 것이다. 또한 답사 후에 마음에 와닿는 시를 골라 읽고 자신만의 시를 창작해 보는 활동을 하면 답사의 의미를 더욱 내면화할 수 있다.

■■『고발』(반디, 리베르타스)

북한에 살고 있는 작가가 목숨을 걸고 쓴 7편의 소설이 들어 있다. 북한 체제와 그 안에서 생활하는 사람들의 이야기를 현실성 있게 그려 냈다. 북한식 표기를 최대한 남겨 작가의 의도를 반영하고자 했다. 답사 후 북한에 대한 관심이 생긴 아이들에게 북한의 최근 모습을 보여 줄 수 있을 것이다.

■■ 영화「웰컴 투 동막골」

1950년 11월, 6·25 전쟁이 한창이던 때의 함백산 동막골을 배경으로 하여 국군, 인민군, 연합군이 모두 모인 상황에서 일어나는 일들을 다룬 영화이다. 이념적인 측면에 치우치지 않으면서 6·25 전쟁을 다양한 이해 당사자들의 입장에서 바라볼 수 있으며 전쟁 속에서도 피어나는 사랑과 우정, 인간다움에 대해 생각해 볼 수 있는 영화이다.

■■『평양, 제가 한번 가보겠습니다』(정재연, 넥서스BOOKS)

DMZ를 방문했던 남한의 평범한 작가가 갈 수 없는 가까운 땅, 북한을 보며 북한 여행을 결심한다. 호주 국적을 통해 간신히 발급받은 북한 여행증을 가지고 평양에 2번이나 다녀온다. 평양의 생생한 이야기와 사진을 통해 평양의 요즘을 확인할 수 있다.

여울 따라 흐르는 옛이야기

김민하(대광중학교)·양수정(관인중학교)·이지영(석천중학교)
최형원(백학중학교)·황미영(연천중학교)

물빛 고운 연천의 설화 이야기

재인폭포→ 숭의전 → 경순왕릉 → 호로고루 → 고랑포구 역사 공원

조선의 태종 이방원이 친구 이양소의 마음을 얻으려 삼고초려 한 곳, 연천. 이곳에는 '눈물 흘릴 연(漣)' 자의 유래에서 보듯 이방원의 눈물과 이양소의 이야기가 여울 곳곳에 스며들어 있다. 교과서에 실린 전곡리 구석기 유적지 외에도 숨은 보물이 많다. 고대부터 정치·경제적으로 한반도의 중심부에서 중요한 역할을 담당했지만 분단 후 잊히고 소외된 곳. 지질학적으로나 역사적으로 매우 귀중한 유산을 품고 있는 이곳에 얼마나 많은 이야기들이 전해 오고 있을까?

#경기 연천 #설화 #재인폭포 #숭의전 #경순왕릉 #호로고루 #고랑포구

연천은 남북을 이어 주는 임진강과 한탄강의 큰 여울이 화산이 빚어낸 아름다운 자연에 물빛으로 수놓은 곳이다. 화산이 폭발하여 만들어진 한탄강 유역은 수려한 자연 경관뿐만 아니라 지질학적 가치가 매우 높아 2020년 한탄강 유네스코 세계 지질 공원에 등재되었다. 구석기 시대부터 사람들이 이곳에 터를 잡고 살았고, 지금까지도 고유한 자연과 유적을 잘 간직하고 있다. 우리는 연천에 숨은 여러 옛이야기를 찾아 아름다운 이야기를 품고 있는 재인폭포를 시작으로 고려의 종묘 숭의전과 신라의 마지막 왕릉인 경순왕릉을 거쳐 고구려의 기상이 깃든 호로고루, 마지막으로 근대 100년의 이야기가 살아 숨 쉬는 고랑포 역사 박물관으로 여정을 꾸렸다.

줄 따라 물 따라 흘러내리는 재인 부부의 사랑, 재인폭포

지하철 1호선 전곡역에서 내려 자동차를 타고 도착한 곳은 수려한 자태를 보여 주는 재인폭포다. 재인폭포에는 슬프고도 아름다운 전설이 있다. 연천에 사이좋은 광대 부부가 살았는데, 그 아내에게 욕심을 품은 수령이 폭포에서 줄을 타는 남편을 죽이고 아내를 취하려고 하자 아내가 수령의 코를 물고 자결했다는 이야기다. 그래서 폭포 이름은 '광대'를 뜻하는 '재인'이 붙어 '재인폭

슬프고도 아름다운 전설이 깃든 재인폭포는 2020년 지정된 유네스코 '한탄강 세계 지질 공원'의 명소 중 하나다.

포'라고 불리고, 마을 이름도 '코문리'에서 유래하여 현재는 '고문리'로 남아 있다. 겹겹이 쌓인 주상절리에 떨어지는 폭포의 물줄기가 서리서리 쌓여 흐르는 재인 부부의 눈물인 듯 청아했다.

수량이 풍부한 여름철이나 가을에 가면 시원하게 떨어지는 폭포 소리와 맑은 연못, 푸르름을 한껏 품은 자연이 어우러져 영혼이 맑아지는 경험을 할 수 있다. 가을에는 한탄강 댐까지 이어진 광활한 꽃길을 강바람을 맞으며 걸을 수 있다. 재인폭포에 가까이 가면 유리로 된 전망대가 있어서 폭포 아래의 아찔한 전망을 즐길 수 있고, 출렁다리를 지나 폭포 아래까지 이어진 길을 따라가면 자연이 만든 아름다운 조각, 주상절리의 절경을 감상할 수 있다. 한국 수자원 공사에서 운영하는 근처의 '한탄강댐 물문화관'도 연천의 자연과 역사, 문화를 쉽게 이해할 수 있는 곳이다.

역사의 뒤안길에 선 쓸쓸하고도 아름다운 고려의 종묘, 숭의전

재인폭포의 절경을 감상한 후 차로 30여 분을 달려 숭의전으로 향했다. 연천은 수도권에서 찾아보기 힘든 천혜의 자연을 품고 있기도 하지만 한반도의 중심부에 위치하고 있어서 예로부터 이곳을 차지하기 위해 각축전이 벌어진 역사의 산실이기도 하다. 숭의전으로 가기 전에 어수정이 보인다. 어수정은 고려를 건국한 왕건이 물을 마시며 쉬어 갔던 곳이라 하여 붙여진 이름인데 지금도 마을 주민들에게 약수터 겸 쉼터가 되어 주고 있다.

어수정을 거쳐 올라가면 아름다운 숭의전의 전경이 보인다. 숭의전지는 고려의 왕들과 공신들의 위패를 모시고 제사를 받들게 했던 숭의전이 있던 자리이다. 1789년(정조 13년) 군수였던 한문홍은 숭의전의 수리를 마치고 옛 왕조의 영화와 쇠락의 무상함을 담아 숭의전이 내려다보이는 잠두봉 절벽에 「중작숭의전」이라는 칠언율시를 새겨 두었다. 이 시에는 숭의전이 사라진 아픔과 앞으로도 숭의전이 기억되길 바라는 마음이 잘 담겨 있다. 해설사는 이 칠언율시가 숭의전의 보물이라 설명했다.

숭의전은 역사의 모순이 담긴 곳이다. 고려를 멸망시킨 조선이

고려의 왕들과 공신들의 위패를 모시고 제사를 받든 숭의전에는 '썩은 소 전설'도 전해 내려온다.

건립한 사당이기 때문이다. 조선은 유교 국가로서 고려 왕족과 백성에 대한 회유책으로 숭의전을 건립했을 것이다. '조선은 왜 고려를 위해 사당을 만들었을까?' 이 질문에 학생들은 어떤 독창적인 대답을 할지 궁금해진다. 학생들과 함께 이야기를 나누며 숭의전을 답사하다 보면 고려 말 조선 초의 역사를 더욱 깊이 이해할 수 있을 것이다.

숭의전에는 '썩은 소의 전설'도 전해 내려온다. 조선 태조 이성계가 고려를 멸망시키고 조선을 건국하자 고려 왕족들은 돌로 만든 배에 왕건의 신위를 모신 후, 안전한 곳으로 피신하라는 마음을 담아 예성강에 띄워 보냈다. 그런데 돌배가 임진강 어느 벼랑 밑에 멈추어 움직이지 않고 하룻밤 사이에 쇠 닻줄이 썩어 없어져 그곳에 왕건의 신위를 모시도록 한 것이 바로 숭의전이다. 숭의전을 둘러보고 나오니 '썩은 소의 전설'이 담긴 임진강과 함께 500년이 넘는 세월을 간직한 큰 느티나무 두 그루가 눈에 들어왔다. 역사는 뒤안길로 쓸쓸히 사라졌지만 아름답게 남아 있는 느티나무는 수많은 이야기를 간직하고 있을 것이다.

신라의 마지막 왕이 잠든 천년의 꿈, 경순왕릉

숭의전에서 경순왕릉까지는 약 16킬로미터로 자동차로 20여

분이 소요된다. 경순왕릉으로 향하는 길목은 습기를 한껏 머금어 짙은 풀냄새가 코를 간질인다. 고맙게도 울창한 나무가 만들어 준 그늘 덕분에 경순왕릉을 오르는 길은 어렵지 않았다. 이 오르막길 끝에 신라의 마지막 왕인 경순왕이 잠들어 있다니, 그곳에 담긴 이야기들이 궁금해진다. 나라를 건국한 왕은 훗날 평가가 후해 위대한 왕으로 추앙받지만, 국가가 멸망한 시기의 왕에 대한 평가는 엇갈리기 마련이다.

고즈넉한 곳에 자리 잡은 경순왕릉을 바라보니 문득 고려의 시인 길재의 시조가 떠올랐다. 길재의 시조 속 고려는 500년 동안 융성했던 나라지만, 경순왕이 마지막 왕이었던 신라는 무려 1,000여 년간 56명의 왕을 거치며 한국사를 통틀어 가장 오랜 시간 왕정을 유지한 국가였다. 신라의 마지막 왕이 잠든 경순왕릉을 바라보고 있자니, 천년 왕국이자 황금의 나라로 불렸던 화려한 신라의 태평연월이 마치 꿈처럼 느껴졌다.

오백 년 도읍지를 필마로 돌아드니
산천은 의구하되 인걸은 간 데 없다
어즈버, 태평연월이 꿈이런가 하노라

신라는 경주를 중심으로 한 나라인데 왜 신라의 마지막 왕인 경순왕의 능은 경주보다 한참 북쪽에 있는 연천에 있을까? 우리는 경순왕릉에 상주하는 문화해설사에게 그 이유를 자세히 들을 수 있었다. 경순왕이 즉위했을 때 이미 신라는 경주 지역에만 왕권이 미칠 정도로 국력이 미약했다. 안으로는 호족 세력이 강력했으며, 밖에서는 후백제 견훤이 계속 침략하는 그야말로 진퇴양난의 상황이었다. 당시 경순왕은 전쟁으로 인한 백성들의 고통을 줄이기 위해 저항 없이 나라를 고려에게 바쳤다. 경순왕의 결정은 백성들의 희생을 최소화했다는 점에서 옳은 것이었을까? 아니면 전력을 다해 싸워 보지도 않고 가벼이 적국에게 나라를 바친 한낱 나약한 왕의 변명이었을까? 학생들과 당시를 떠올리며 토론해 보아도 좋은 주제일 것이다.

고려의 왕, 경종은 경순왕의 사위였으며 장인인 경순왕을 경주로 돌려보내고자 했다. 하지만 경순왕의 운구 행렬이 경주로 출발하자 고려 개경 안에 살던 과거 신라인들이 자신들의 옛 왕을 따라나선다. 경순왕의 장례가 민심을 동요시킬까 걱정한 고려는 "왕릉은 수도 개경 100리 밖에 쓸 수 없다."라는 구실로 경순왕의 능을 이곳에 마련하게 되었다. 마치 일제 강점기에 고종과 순종의 장례식에 맞춰 3·1 운동, 6·10 만세 운동이 일어난 것과도 같은 이유에서였다. 이로 인해 경순왕릉은 지금까지 밝혀진 신라 왕릉 중 유일하게 경주가 아닌 지역에 위치하게 되었다.

경순왕릉은 연천에 있지만, 경순왕이 호국룡이 되어 나라를 지키는 신이 된 설화는 시흥, 안산, 수원 등 곳곳에서 전한다. 백성들이 더는 전쟁으로 고통받지 않도록 한 그의 모습에서 백성들은 나라를 지키는 호국신의 모습을 본 것은 아닐까?

고구려의 기백이 깃든 공간, 호로고루

경순왕릉에서 차를 타고 평화로운 농촌 풍경을 감상하다 보면 어느새 도착하는 호로고루는 고구려의 최전성기였던 장수왕 때 한강 일대를 차지하면서 평양으로 도읍을 옮겼을 즈음 축조된 것으로 보인다. 호로고루를 감싸고 흐르는 임진강은 육로를 통해 개성에서 서울로 가는 최단 거리에 놓여 있으며, 장마철을 제외하면 물의 깊이가 무릎 정도밖에 되지 않아 말을 타거나 걸어서 건널 수 있어 전략적으로 매우 중요한 곳이었다.

호로고루 입구에 들어서면 웅장한 기운을 풍기며 우뚝 서 있는 광개토대왕릉비가 우리를 맞이한다. 남북 사회문화 협력사업의 결과물로 북에서 온 이 광개토대왕릉비는 고구려의 기상을 되새기고 남과 북의 통일과 화합을 기원하는 뜻을 담아 남한 지역의 대표적인 고구려 성터인 이곳에 자리 잡게 되었다. 우리나라 역사상 가장 넓은 영토를 차지하며 번성했던 고구려에 대해 이야기를 나누다 보니 고구려의 영토 확장을 도운 지혜로운 승려 도림의 이야기가 떠올랐다.

도림은 고구려 장수왕이 백제를 물리치기 위해 보낸 첩자였다. 그는 죄를 지어 도망치는 체하며 백제에 들어가 바둑으로 개로왕과 친분을 쌓았다. 이후 듣기 좋은 말로 왕을 설득해 웅장하고 화려한 성과 누각을 짓도록 했는데, 이로 인해 점점 백제의 창고

가 비고 백성들이 곤궁해져 나라가 위태로워졌다. 학생들과 각자 알고 있는 다양한 설화들을 실제 역사와 연결하여 해석해 본다면 더욱 의미가 있을 것이다.

광개토대왕릉비 뒤쪽으로 자리 잡은 호로고루 홍보관에서는 해설사의 설명을 들으며 전시물을 관람할 수 있다. 이곳에서 출토된 토기, 탄화 곡물, 악기, 벼루 등 다양한 유물에 대한 정보를 통해 고구려인의 생활과 문화 수준을 엿볼 수 있다.

홍보관에서 나오면 홀로 서 있는 나무 저 멀리, 푸른 잔디로 뒤덮인 삼각형 형태의 평지성과 마주한다. 호로고루는 임진강과 임진강에 유입되는 개울로 인해 형성된 지형의 한쪽을 막아 축조하였기 때문에 강에 인접한 두 방향은 높은 천연 절벽이라 별도의 방어 시설이 필요하지 않다. 남은 한쪽에만 견고한 성벽을 구축했는데, 지금 남아 있는 것은 동쪽 성벽의 일부로 고구려의 성벽과 이후 신라 성벽의 모습이 함께 나타난다.

하늘을 향해 오르는 듯한 느낌을 받으며 성벽 뒤편으로 난 계단을 조심스레 오르면 금세 가리는 것 하나 없는 정상의 시원한 풍경이 바람과 함께 눈에 들어온다. 과거 치열했던 전쟁의 흔적은 하나도 남지 않은 채 성터 아래로 유유히 흐르는 임진강과 끝없이 펼쳐진 아름다운 주상절리 절벽을 내려다보니 원천석의 회고가 「흥망이 유수하니 만월대도 추초로다」라는 시조가 절로 떠오른다. 가장 찬란하게 빛났던 시기가 지나면 빛깔은 바래기 마련이지만 고구려인이 이루어 낸 업적들이 잊히는 것이 안타깝

남한 지역의 대표적인 고구려 성터인 호로고루 주변에는 가을이면 고구려의 기상에 걸맞게 노란 해바라기의 물결이 장관을 이룬다.

다. 오랜 세월 동안 변함없이 그 자리를 지키고 있는 자연에 비하면 인간의 역사는 미미한 것일지도 모른다.

평소에 꾸밈없는 모습으로 지역 사람들에게 여유로운 쉼터가 되어 주는 호로고루 주변의 넓은 성터는 매년 가을철이 되면 노란 해바라기의 물결이 장관을 이룬다. 국토가 분단되기 전까지 호로고루 앞을 흐르는 임진강이 수도 서울을 관통해 흐르는 한강과 연결되는 수로로서 번성했다고 하는데, 그때의 모습을 떠올리며 평화, 화해를 바라는 간절한 마음을 담아 해바라기를 심는 것은 아닐까?

우리나라 근현대 100년이 담긴 곳, 고랑포구 역사 공원

연천 답사의 마지막 코스인 고랑포구 역사 공원은 비교적 최근인 근대 이야기를 담고 있다. 호로고루 인근에 있는 이곳은 임진강 고랑포구의 역사와 지리적 특성을 생생하게 구현해 놓은 전시 박물관이다.

고랑포 인근은 1930년대 교통의 요충지로서 개성과 경성의 물자 교류를 이끌며 금융 기관, 우체국, 약방, 여관, 심지어 백화점까지 들어선 큰 마을로 번성했었다. 6·25 전쟁 때는 남한과 북한을 사이에 두고 38선 인근에서 치열한 격전을 벌인 역사도 간직하고 있다. 번성하던 도시에서 치열했던 전쟁의 격전장으로, 쓸쓸한 불모지로 변해 버린 고랑포는 우리나라 근현대사를 상징적으로 보여 준다.

고랑포에는 6·25 전쟁 당시 큰 공을 세운 명마 '레클리스'에 관한 일화도 전해진다. 전쟁터 한가운데에서 '무모할 정도로 용감하게(reckless)' 임무를 수행한 이 말에 '레클리스'라는 이름을 붙였다. 역사 공원 입구에 레클리스의 동상이 세워져 있으며, 전시관에서 그 말과 관련된 일화를 들을 수 있다.

지금의 고랑포는 사람의 발길이 닿지 않는 황무지로 변했다. 이곳이 고랑포임을 알리는 비석만이 남아 있을 뿐이다. 고랑포에서 임진강을 바라보면 북한 땅이 보인다. 분단 후, 70년이 넘은 세월로 인해 유달리 가까운 저 땅이 멀게만 느껴진다.

전시관 안쪽에는 평양과 서울의 중간 역인 가상의 '임진강역'이 있다. 분단 전 서울에서 원산까지 운행되던 경원선 열차는 현재 백마고지에 멈춰 서 있다. 가까운 미래에 기차를 타고 서울에서 고랑포, 임진강을 지나 금강산을 여행하고, 시베리아 횡단 열차로 세계와 이어지는 상상을 해 본다. 과거의 화려했던 고랑포처럼 남북의 육로와 수로가 연결되어 10리 밖에서도 생선 비린내가 나고, 평화롭고 자유롭게 사람들이 오가는, 가슴 뜨겁도록 아름다운 날이 오기를 꿈꿔 본다.

학생들과 함께 떠나기 좋은 답사 코스

연천의 주요 명소를 방문하며 역사와 이야기의 발자취를 느낄 수 있는 코스이다. 재인폭포를 먼저 방문하고 아래쪽으로 내려오면서 다양하고 재미있는 역사와 이야기를 만나 보자.

난도: ★★
추천 계절: 봄, 가을
만남의 장소: 지하철 1호선 전곡역

01 설화와 주상절리가 만들어 내는 한 편의 풍경화, 재인폭포

재인폭포는 한탄강에서 가장 아름답고 멋진 경관을 자랑하는 연천의 대표적 명소이다. 재인폭포 아래쪽이 개방될 때는 계단을 타고 내려가 재인폭포 전경을 생생하게 느낄 수 있다.

자가용 25분 ▸▸

02 고려와 조선의 역사적 만남이 담긴 숭의전

고려를 멸망시킨 조선이 건립한 사당으로, 고려 왕조의 애환이 담긴 장소이다. 봄과 가을에 이루어지는 제례 행사 시기에 오면 더욱 의미 있는 답사가 될 것이다.

자가용 20분 ▸▸

03 신라 마지막 왕의 무덤 경순왕릉

'신라의 마지막 왕인 경순왕은 어떻게 연천에 잠들게 되었을까?'에 대해 학생들과 얘기를 나누며, 임진강이 유유히 흐르는 고즈넉한 경순왕릉에 오르면 어떨까.

자가용 5분 ▸▸

04 살아 있는 고구려의 기상 호로고루

탁 트인 들판에 펼쳐진 고구려의 기상, 호로고루. 매년 9월이면 통일바라기(해바라기) 축제가 열린다. 호로고루성에 직접 올라 보면, 시원한 경치와 바람에 저절로 기분이 좋아진다.

자가용 3분 ▸▸

05 역사의 찰나 고랑포구 역사 공원

1930년대 번성했던 고랑포 일대의 모습을 생생하게 만날 수 있다. VR 체험 등을 비롯한 다양한 오감 체험 활동을 즐길 수 있다.

자가용 5분 ▸▸

01

03

05

한 학기 한 권 읽기 추천 도서 & 추천 콘텐츠

■■ 『봄날의 서재』(전윤호, 북인)

「호로고루」, 「숭의전」, 「재인폭포」라는 시가 담긴 시집이다. 작품을 먼저 읽고, 답사에 참여하면 학생들이 보다 쉽게 문학과 역사의 연결 고리를 찾을 수 있을 것이다. 세 작품 외에도 역사와 관련 있는 문학 작품들이 담겨 있다.

■■ 시사 교양 프로그램 『역사저널 그날 — 신라 최후 경순왕과 마의태자의 엇갈린 선택』(KBS)

신라의 마지막 왕 경순왕과 마의태자는 신라의 존폐 위기에서 서로 엇갈린 주장을 한다. 전쟁을 치르지 않고 희생을 최소화하여 고려에 복속될 것인가? 신라의 이름을 걸고 끝까지 항거할 것인가? 이들의 엇갈린 선택에 역사는 어떤 평가를 내릴 것인가?

■■ 『천변풍경』(박태원, 열림원)

소설가 박태원이 1930년대에 연재한 장편 소설이다. 서울 청계천을 중심으로 살아간 1930년대 서울 사람들의 삶을 그리고 있다. 1930년대의 배경과 사람들을 면밀히 관찰해 그려 낸 작품이기 때문에 당시 우리나라의 모습을 간접적으로 엿볼 수 있다. 고랑포구 역사 공원 전시관에서 만나는 1930년대 고랑포의 모습과 연결해 읽으면 다시 고랑포의 모습을 좀 더 구체적으로 떠올려 볼 수 있을 것이다.

갯벌에서 캐낸 시

김경희(부평서중학교)·김소희(인천석남중학교)·박은주(산곡여자중학교)·박진희(부평동중학교)·정경선(산곡여자중학교)

강화 곳곳에서 느껴 보는 함민복의 시

대한 성공회 강화 성당 → 강화 문학관 → 전등사 → 정수사 → 책방 '국자와 주걱' → 동막해변

수도권과 가까우면서도 섬과 농촌의 아름다움이 절묘하게 섞인 곳, 고인돌부터 단군 신화의 신비로움, 조선 시대의 역사 유적이 공존하는 곳. 햇빛에 반짝이는 바다와 노을, 끝없는 갯벌이 섬사람들의 삶을 만들어 내는 곳. 작은 카페와 동네 책방들이 인간미를 뿜어내는 곳. 그래서인지 매년 예술가들이 늘어나는 우리나라에서 4번째로 큰 섬. 육지와 연결된 다리에 들어서는 순간, 마법 같은 풍광이 펼쳐지고 저절로 창문을 열어 바닷바람과 바다 냄새를 맛보게 되는 강화와 그곳에 깃든 문학 작품을 따라가 보자.

#인천 #강화군 #함민복 #강화 성당 #강화 문학관 #전등사 #독립 책방 #동막 해변

강화 문학 답사는 강화만의 특성을 만날 수 있는 문화적 장소와 사람, 그리고 자연을 따라가는 코스로 구성했다. 강화읍을 출발점으로 길상면, 양도면, 화도면으로 이어지는 약 34킬로미터 정도의 여정이다. 강화읍과 길상면에서는 강화의 문화, 양도면에서는 강화의 사람, 화도면에서는 강화의 자연을 만날 수 있다. 대중교통을 이용하기엔 시간이 많이 걸리고, 목적지까지 갈 수 없는 곳도 많아서 승용차를 이용하는 것을 추천한다. 강화에는 이 섬을 사랑해서 정착한 함민복 시인이 살고 있다. 답사의 길목 길목에서 강화를 닮은 시인의 시를 떠올릴 수 있었다. 함민복 시인의 시와 함께 답사지의 의미를 짚어 보는 것도 함께 추천한다.

대한 성공회 강화 성당

대한 성공회 강화 성당은 1900년에 지어진 성당이다. 성당은 강화읍이 내려다보이는 언덕배기에 있어서 좁은 길을 올라가고 계단을 또 올라 솟을대문 2개를 지나야 비로소 본 건물이 보인다. 성당을 본 순간 너무 새롭고 신선했다. '천주성전(天主聖殿)'이라고 쓰인 현판이나 단청 기둥마다 귀엽게 콩콩 박힌 십자가 문양만 아니라면 영락없는 사찰 대웅전의 모습이기 때문이다. 심지어 마당의 아름드리나무조차 석가모니가 그 아래에서 깨달음을 얻었다는 보리수나무이다. 이 성당이 서양식 건물보다 절처

영락없이 사찰 대웅전의 모습을 하고 있지만 한국의 토착 불교와의 조화를 바라며 1900년에 지어진 대한 성공회 강화 성당이다.

럼 지어진 이유는 보리수나무 옆 안내 간판에 상세히 나와 있었다. 성공회가 각 나라와 지역의 문화와 전통을 존중하며 신학을 토착화하려는 선교 정신을 가지고 있었기 때문에 성당 건물을 한식으로 지었고, 한국의 토착 불교와 조화를 이루길 바라며 영국의 선교사 트롤로프 신부가 인도에서 10년생 보리수나무 묘목을 가져와 심었다는 것이다.

이 성당을 지으며 120년 전 파란 눈의 사제들은 고민에 고민을 거듭했을 것이다. 어떻게 하면 조선의 문화와 종교를 존중한다는 마음을 전달할 수 있을까? 낯설고 거부감마저 들 것이 뻔한 서양의 종교를 조선 백성들에게 부드럽게 전파할 수 있을까? 성당은 그러한 고민과 노력의 결정체로 보였다.

더 놀라운 것은 성당 내부에 들어갔을 때였다. 성당 내부는 완전히 서양 건물의 모습이었다. 서유럽의 바실리카 양식으로 지어졌다고 하는데 높은 천장과 우아한 샹들리에, 그리고 갈색으로 윤기 나는 대들보, 서까래들과 나무 기둥들이 참 멋스러웠다. 바깥 날씨가 엄청 더웠는데도 성당 내부는 서늘하기까지 했다. 양 옆으로 네모난 창문이 2개씩 나 있어서 맞바람이 불었다. 왼쪽 창문에는 파란 강화의 하늘과 진녹색의 산 풍경이, 오른쪽 창문에는 뜰에 심어 놓은 보리수나무의 연초록 그늘이 그림처럼 걸려 있다. 그 풍경들을 바라보며 작은 나무 의자에 잠시 앉았다. 고요하고 성스러웠다.

갯벌 속에 숨겨진 진주,
강화 문학관

성공회 성당 바로 옆에 강화 문학관이 있다. 문학관의 이름이 투박하다. 김유정 문학관이나 황순원 문학관처럼 작가 이름을 붙이거나 근대 문학관이나 현대 문학관처럼 시대를 대표하는 문학관에 익숙한데, 담백하게 지명을 딴 문학관이라니 궁금증이 일었다.

강화 출신인 고 조경희 수필가의 유지로 설립된 강화 문학관의 1층은 강화와 연관이 있는 문인들의 전시관이며 2층은 조경희 수필 문학관이다. 강화도가 고려 때 임시 수도였고, 조선의 유배지였으며 병자호란의 치욕이 서려 있는 곳이라 그런지 면적에 비해 강화와 관련된 문인들이 많았다. 고려의 이규보부터 조선의 정철, 그리고 조선 중기부터 현대까지 이어지는 강화학파 문인들까지 20명이 넘는다.

1층 전시실로 들어서면 아담한 공간에 문인들의 삶과 작품이 가득하다. 특히 이규보의 이름이 눈에 띈다. 6살 때부터 시를 지은 천재 시인 이규보. 이규보는 방대한 기록을 남겼는데, 덕분에 그의 삶을 세세하게 엿볼 수 있는 반면 평가도 극단적으로 갈린다. 강화 문학관에서 볼 수 있는 이규보의 작품은 바로 읽으나 거꾸로 읽으나 '토마토', '기러기' 같은 회문시 「미인원」, 한국 최고의 서사시 「동명왕편」, 무려 2,000수의 시가 실린 「동국이상국

집」 등이다. 체험 코너에서 이규보가 6살 때 지은 시로 도장을 찍어 보았다.

또 눈에 띄는 작품은 전시관 가운데 위치한 강화의 구전 설화판이다. 여기에는 손돌목 전설이 담겨 있다.

> 고려 왕이 강화도로 피란했을 때 뱃사공 손돌이 왕과 일행을 배에 태워서 강을 건너게 되었다. 손돌은 험한 물길을 피해 안전한 물길 쪽으로 뱃머리를 돌렸다. 그러나 왕은 자신을 해치려 다른 곳으로 몰아가는 것으로 오해하고 손돌을 처단하라고 명했다. 죽기 직전 손돌은 물길을 벗어날 수 있는 방법을 일러 주었고 왕과 일행은 손돌의 말대로 무사히 강을 건널 수 있었다. 그 뒤로 손돌이 억울하게 죽은 날이면 추운 바람이 부는데 이를 '손돌바람'이라 하고 이 여울목을 '손돌목'이라 한다.

강화 문학관은 강화를 사랑한 개인의 유지로 만들어진 건물이라 모니터 하나 없이 소박하다. 하지만 갯벌 속 진주를 찾듯 문인들을 발견하며 마음이 뿌듯했다. 한 바퀴 휙 둘러보는 건 너무나 쉽다. 걸음을 느리게 하여 천천히 살펴보면 문인과 시가 들어온다. 강화에서 만난 사람들은 하나같이 이방인들에게 좋은 것들을 보여 주고 싶어 하고 정보를 알려 주고 싶어 했다. 그 마음들이 푸근했다.

마음이 머무르는 곳,
전등사와 정수사

걷다 보면 저절로 발걸음이 느려지는 곳이 있다. '강화' 하면 떠오르는 사찰 전등사가 그런 곳이다. 전등사는 강화 정족산 삼랑성 안에 자리한, 우리나라에서 현존하는 가장 오래된 사찰이다. 삼랑성이라는 이름에는 '단군의 세 아들이 세운 성'이라는 뜻이 담겨 있다고 전해진다.

삼랑 성곽 남문(종해루)을 지나 전등사로 들어가는 흙길을 밟으면 불자가 아니어도 왠지 모를 숙연함이 생기고 저절로 생각에 잠기며 발걸음이 느려진다. 느리게 걸으면서 만나는 풀 하나, 꽃 하나, 다람쥐 한 마리가 다 반갑다.

절 뜨락에서 500살이 넘은 노승나무와 동승나무가 커다란 팔을 벌려 우리를 맞이했다. 이 나무들은 신비로운 전설을 가지고 있다. 조선 시대에 나라에서 턱없는 공물을 요구하자 전등사의 스님들은 신통력이 있는 백련사의 주송 스님에게 방법을 물었다. 주송 스님은 이 두 나무가 백 년이 지나도 천년이 지나도 열매를 단 한 알도 맺지 못하게 해 달라고 축원을 했다고 한다. 전설대로 두 나무는 열매를 맺지 않는데, 대신 전등사를 찾는 이들에게 그 넉넉한 품을 내어 준다.

절에 있는 나무라 노승나무, 동승나무라 이름 붙인 것도 재미있다. 인자한 노승을 장난기 가득한 얼굴로 바라보는 동승의 모

전등사는 우리나라에서 현존하는 가장 오래된 사찰로, 500살이 넘은 노승나무와 동승나무를 절 뜨락에서 만날 수 있다.

습이 떠올라 함께 미소 짓게 된다.

계단을 올라 문루를 지나면 석가모니 부처님을 모시고 있는 대웅전이 나온다. 대웅전에는 전등사에 온 사람이면 누구나 찾아보는 나녀상이 있다. 이 나녀상에는 재미있는 이야기가 전한다.

대웅전 중건 당시에 참여했던 마음 착한 노총각 목수가 전등사 아랫마을 주막에 있던 아가씨와 사랑에 빠져 결혼을 약속했다. 목수는 대웅전을 지으면서 받은 품삯을 여인에게 맡겼는데 그

여인은 돈을 모두 가지고 도망을 가 버렸다. 목수는 분노와 배신감에 복수하기 위해서 벌거벗은 여인의 형상을 만들어 대웅전 처마 밑에 넣었다고 한다.

여인의 얼굴을 괴상하게 만든 것도 복수 중의 하나가 아니었을까 하는 생각이 들 정도로 기이한 모습이다. 평생 벌받는 자세로 대웅전 지붕을 떠받들고 있는 나녀상은 전등사를 찾는 온갖 군상들을 보며 어떤 생각을 하고 있을까? 나녀상을 이고 앉아 있는 부처님은 어떤 생각으로 절에 오는 사람들을 보고 있을까?

강화에 오면 꼭 찾게 되는 또 다른 절, 정수사(淨水寺)로 향했다. 이름만 들어도 절을 따라 흐르는 맑고 깨끗한 물줄기가 떠오른다. 전등사에서 동막해변으로 가는 해안도로 오른쪽, 큰 길에서 벗어나 작은 숲길을 따라 한참을 올라가면 작고 소박하지만 아름다운 절 정수사를 만난다.

꽃살문으로 치장된 대웅보전에는 부처님을 꽃으로 공양하고자 하는 불자들의 갸륵한 마음이 배어 있는 듯하다. 원래는 절 이름에 '닦을 수(修)' 자를 썼다고 하니 스님들이 진리를 찾아 배움에 정진하는 사찰이었던 것 같다. 정수사에서 조용히 앉아 지나는 바람과 구름을 느끼며 혼자만의 시간을 보내고 나면 우리도 깨달음을 얻게 되지 않을까?

아름다운 책방,
‘국자와 주걱’

좀 더 의미 있는 강화 문학 답사를 고민하면서 함민복 시인과의 만남이 가능할지 출판사를 통해 연락을 취했고, 시간을 내 주겠다는 반가운 답을 받았다. 실제 학생들과의 답사에서는 여의치 않더라도 이 만남을 통해 시인의 향기를 더 생생하게 전할 수 있기를 바라는 마음이었다. 함민복 시인과의 만남은 책방 ‘국자와 주걱’에서 이루어졌다. 이런 곳에 책방이 있을까 싶을 만큼 한적한 산길을 구불구불 타고 가다 보면 흰 벽에 “책방 국자와 주걱”이라 쓴 소박한 붓글씨 간판이 나타난다.

‘국자와 주걱’이라는 책방 이름은 ‘나눔을 위한 공동체의 도구’라는 의미를 담아 함민복 시인이 지어 주었다.

쪽마루를 올라 안으로 들어서면 주방과 거실, 안채를 문짝 없이 개방하여 제법 널찍한 책방 공간이 나오는데, 한옥의 서까래와 대들보가 그대로 드러나 운치와 멋을 더한다. '국자와 수저'이라는 책방 이름은 '나눔을 위한 공동체의 도구'라는 의미를 담아 함민복 시인이 지어 주었다고 한다. 각종 독서 모임, 문인들과의 만남, 다양한 문화 행사가 이루어지는 동네 복합 문화 공간으로 이름값을 톡톡히 하고 있다.

강화도에는 예쁜 독립 책방들이 보석처럼 곳곳에 박혀 있다. 그림책 출간과 판매를 함께 하는 '딸기 책방', 그림책 전문 '바람숲 그림책 도서관', 3층 높이의 벽면을 책으로 가득 채운 '이루라 책방' 등 책방마다 주인장의 독특한 취향을 담아 이색적이고 아름다운 공간을 선사한다. 학생들과 함께하는 '강화도 책방 탐방'도 오감이 행복한 문학 답사 테마로 추천한다.

아름다운 책방 구경에 폭 빠져 있을 때, 언제 들어왔는지 수줍은 웃음을 건네며 함민복 시인이 들어섰다.

강화를 노래하는 시인
함민복

"가장 애착이 가는 시요? 내 생각이 가장 안 들어간 시요."라는 시인의 대답이 다소 엉뚱했다.

"시는 내가 쓰는 게 아니라 생각해요. 내가 알고 있는 것, 지금까지 경험해 오고 만들어 온 나의 시 세계가 시를 써 나가는 것이지요. 우리 앞에 펼쳐진 축적된 정서가 너무 깊고 커서 그것을 그대로 옮겨 놓기만 해도 시가 되지요. '농부들의 모든 일의 시작은 흙을 향해 허리를 굽히는 것'은 제가 좋아하는 구절인데요, 이 구절도 사실을 그대로 보고 적은 거지요."

함민복 시인은 강화에 터를 잡고 산 지 27년이 되었다. 친구들과 고기 잡고, 농사짓고, 인삼도 팔며 살아온 이야기, 강화 갯벌의 신비로움과 말랑말랑한 힘에 대한 이야기, 시 「가을」이 저작권 문제로 유명세를 치른 이야기, 자연과 미물들 하나하나에 말을 걸고, 감동을 주는 그것들의 말을 길어 올려 시로 쓴다는 시인의 일상 이야기가 물 흐르듯 이어졌다.

평범하고 소소한 일상을 담아낸 그의 시가 왜 우리에게 그렇게도 큰 울림을 주는지, 쉽고 편한 말로 형상화한 그의 시가 왜 삶의 진실과 맞닿아 있는지 조금은 알 것 같았다. 담담히 전하는 그의 말에서 시를 대하는 시인의 마음이, 세상을 향한 그의 진정성과 겸손함이 오롯이 느껴졌다.

시인과 작별을 고하고 돌아 나오는 길, 선하고 따뜻한 삶과 시의 향이 배여 어느새 우리의 마음도 맑고 순해진 것 같았다.

말랑말랑한 갯벌과 낙조의 진미를 맛보는 동막해변

동네책방 '국자와 주걱'에서 승용차로 약 13킬로미터 정도 이동하면 모래사장과 소나무 숲으로 둘러싸인 화도면 동막해변이 나온다. 폭 10미터, 길이 200미터에 달하는 동막해변은 밀물 때는 해수욕을 즐기고, 썰물 때는 강화도 갯벌(하구갯벌, 펄갯벌)을 체험할 수 있는 최적의 장소다. 썰물 때를 맞춰 동막갯벌을 방문한다면 조개, 칠게, 가무락, 갯지렁이 등을 만날 수 있고, 운이 좋으면 멸종 위기 1급 철새이자 천연기념물인 인천 깃대종 저어새까지 볼 수 있다.

동막갯벌은 오염 물질을 정화하고 탄소를 흡수하며 홍수나 태풍을 완충하는 역할을 해 준다. 아름다운 풍광을 선사하고 해양생물의 다양성을 간직할 수 있게 해 주는 등 인간이 상상하는 것 이상의 가치가 있다. 이해관계만 따지는 경쟁적인 세상에서는 결코 맛볼 수 없는 풍요로움의 세상이라고나 할까? 이 해변에 서면 저절로 말랑말랑하고 넉넉해지는 자신을 만날 수 있을 것이다.

동막갯벌에서 말랑말랑 꿈틀대는 생명력을 체험하다 보면 해의 힘이 약해지는 시간이 온다. 강화에는 대빈창해변, 민머루해변 등 여러 개의 아름다운 해변들이 있는데 낙조의 아름다움은 단연 동막해변이 으뜸이라 한다. "물 울타리를 둘렀다."라는 절묘한 표현처럼 동막해변에서는 가장 낮은 물 울타리 너머로 해가

온갖 생명이 깃들 수 있는 동막 갯벌은 이해관계만 따지는 경쟁적인 세상에서는 결코 맛볼 수 없는 풍요로움을 전해 준다.

물이고, 물이 해가 되는 순간을 경험할 수 있다.

함민복 시인이 사랑하는 이 섬은 단절과 고립이 아닌 바다와 바다, 길과 길을 연결하는 조용한 매개자로서의 공간이었다. 시인이 고단한 삶을 짊어지고 강화도라는 섬에 들어와 소박한 둥지를 틀고 시를 통해 세상과의 인연의 끈을 어어 갈 힘을 얻은 것처럼, 하루의 짧은 여정이 준 섬의 힘은 우리에게도 고스란히 전해졌다.

섬이 주는 생명의 힘, 섬사람들이 이루어 낸 강인한 역사와 이야기의 힘, 현재에도 이어지는 풍성한 일상의 힘을 듬뿍 담아 바다가 주는 붉은 태양빛을 받으며 섬을 나섰다.

학생들과 함께 떠나기 좋은 답사 코스

천혜의 경관에서 함민복 시인의 시를 느껴 보며 시인의 너른 마음을 만날 수 있는 코스다. 강화대교를 건너 성공회 성당을 시작으로 전등사와 동막해변을 거쳐 초지대교를 건너며 마무리한다. 정수사와 독립 서점들은 가볍게 보자.

난도: ★★★
추천 계절: 가을
만남의 장소: 대한 성공회 강화 성당

01 한국 최초의 한옥 성당 대한 성공회 강화 성당

동양의 건축과 서양의 사상이 어우러지는 곳. 불교 사찰의 일주문과 천왕문을 연상시키는 솟을대문을 지나면 본당 안의 내부는 유럽의 오래된 성당에 온 듯한 여러 매력이 뒤섞인 곳이다.

도보 3분 ▸▸

02 강화와 관련 있는 문인들이 모두 모인 곳, 강화 문학관

작고 아담하여 학생들 집중력이 흐트러질 수 있으니 주의 깊게 관람할 수 있게 안내가 필요하다. 이규보의 회문시를 바꿔서 쓰거나 미션을 수행해 보자.

자가용 26분 ▸▸

03 이야기가 깃든 은행나무와 나녀상 전등사

노승나무와 동승나무, 나녀상을 보며 설화에 대한 이야기를 들려줄 수 있다. 고즈넉한 절 내부를 돌아보며 함민복 시인의 시를 골라 시 낭송도 할 수 있다.

자가용 11분 ▸▸

04 맑은 기운이 흐르는 정수사

시간이 충분하다면 강화의 또 다른 사찰 정수사도 들러 볼 수 있다. 화려하게 새겨진 꽃살을 살펴보며 스님들이 정진하는 도량의 맑은 기운을 느껴 보자.

자가용 16분 ▸▸

05 외할머니네에 놀러 간 듯한 책방 '국자와 주걱'

환경, 여성, 노동 등 묵직한 주제의 책를 보유하고 있는 곳이다. 한옥을 개조해 만든 독립서점으로 온돌이 주는 따뜻함과 아늑함을 느낄 수 있어 학생들이 둘러앉아 잠시 머물다가 갈 수 있다.

자가용 20분 ▸▸

06 말랑말랑한 힘 동막해변

세계 5대 갯벌 중 하나로 꼽히는 동막해변은 낙조가 유명해 시간을 맞춰 가면 장관을 볼 수 있다. 갯벌의 아름다움을 감상하며 학생들과 시를 창작해 보아도 좋다. 근처 분오리돈대에 올라가 탁 트인 바다도 감상할 수 있다.

자가용 20분 ▸▸

한 학기 한 권 읽기 추천 도서&추천 콘텐츠

■■ 『말랑말랑한 힘』(함민복, 문학세계사)

강화도로 삶의 터전을 옮기고 난 후 함민복 시인의 경험이 오롯이 담긴 시집이다. 「정수사」, 「섬」, 「뻘」, 「분오리 저수지에서」, 「동막리 가을」 등 강화도와 구체적으로 관련된 여러 시들이 실려 있어서 강화도 문학 답사를 하기 전에 읽어 보고 답사 장소의 풍경과 거기서 느껴지는 감성을 시와 연결하여 감상하기에 더없이 좋은 자료이다.

■■ 『모든 경계에는 꽃이 핀다』(함민복, 창비)

함민복 시인의 대표 시인 「가을」이 실려 있는 시집이며 함민복 시인의 시 세계를 알고 싶다면 한 번쯤 읽어 볼 만한 시집이다. 특히 「섣달 그믐」 같은 시는 다양한 해석과 논쟁을 낳기도 한다. 답사 일정에 함민복 시인과의 만남을 마련할 계획이라면 미리 읽어 보고 시인과 시에 대해 이야기를 나누는 값진 경험을 하기를 추천한다.

■■ 드라마 『미스터 선샤인』

「미스터 선샤인」은 강화도와 인연이 깊은 드라마이다. 1화에서는 신미양요가 다루어지는데 실제 미국과 조선의 전투가 벌어졌던 곳이 강화도의 광성보이다. 그날의 처절한 전투와 전투에 임한 조선 백성의 비장함을 여실히 그려 냈다.

온기를 품은 골목길

고두한(신흥중학교)·김영석(신흥중학교)·박현진(선학중학교)
이미숙(명현중학교)·최현숙(북인천중학교)

괭이부리말을 찾아가는 길

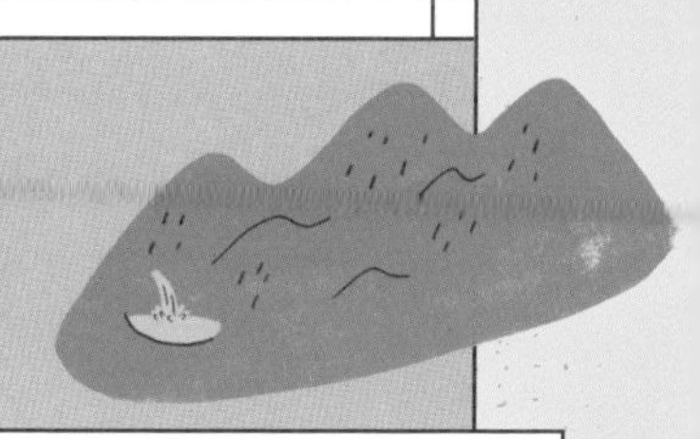

🚶 동인천역 북광장 → 민들레 국수집, 화도진 공원 → 만석초등학교, 만석 감리교회 → 기찻길 옆 작은 학교, 우리 미술관 → 원괭이부리말, 만석 부두 → 화평동 냉면 골목

민들레 한 송이를 피우는 것은 흙 한 줌, 햇살 한 줄기면 된다. 밥 한 끼 먹기도 힘든 괭이부리말 아이들은 함께 모여서야 비로소 라면 한 젓가락, 밥 한 숟가락 나눠 먹으며 자란다. 그 힘으로 세상으로 나아가고 다른 이들을 보살필 용기를 얻는다. 김중미 작가가 자발적 가난을 선택하고 1987년부터 인천 만석동 괭이부리말에서 공동체를 이루어 산 지 10여 년 만에 쓴 『괭이부리말 아이들』에는 가난 속에서도 존엄을 잃지 않고 살아가는 이들의 모습이 담겨 있다. 서로를 지키며, 꽃 한 송이 피우며 사는 삶의 가치를 만석동 골목을 걷는 내내 생각했다.

#인천 #괭이부리말 아이들 #김중미 #꽃은 많을수록 좋다
#곁에 있다는 것 #난장이가 쏘아올린 작은 공

우리는 연일 폭염 경보가 내려진 8월 한낮에 동인천역 북광장에서 『괭이부리말 아이들』의 배경이 된 마을, 만석동 괭이부리말 방향으로 걷기 시작했다. 1930년대까지 배가 다녔던 길목임을 알려 주는 수문통을 지나 1990년대 모습을 고스란히 간직한 상점의 간판들이 나오기 시작하면 그곳에서부터는 또 다른 시공간이 열린다. 무더위에 동네 곳곳의 창문과 대문은 골목을 향해 열려 있었다. 출입증이 필요한 아파트들 사이로 서로 스치기만 하는 대도시 인천의 한 귀퉁이에 가난한 사람들이 서로의 처지와 생활을 엿어젖히고 함께 살아가며 곁을 지키는 화수동, 만석동이 있었다. 『괭이부리말 아이들』의 작가 김중미는 만석동이 정말 좋았다고 했다. "거북이 등 같은 언덕에 따개비처럼 붙어 있는 판잣집, 미로 같은 골목과 노을을 보며 걷던 철길"은 작가가 어린 시절 살았던 동두천 보산리와 닮았다. 잊지 못할 기억의 원형이 그를 만석동으로 끌어들인 것일까.

정과 밥을 나누는 화수동 골목

동인천역에서 만석동으로 가려면 화수동을 지나야 한다. 화수동 골목길은 상점을 보는 재미가 있다. '바늘과의 채팅', '정 의상실', '옷낀가게' 등 이 동네가 아니면 볼 수 없는 개성 넘치는 이름과 모습이다. 그 골목의 초입에 '민들레 국수집'이 있다. 서영

남 대표가 2003년부터 20년째 노숙인들에게 무료 급식을 제공하는 공간이다. 정부 지원 없이 개인의 후원으로 식탁이 1개에서 6개로 늘어나기까지, 수많은 사람들이 이곳에서 밥을 먹었다. 『괭이부리말 아이들』에서 동준이 역시 방학이라 학교 급식이 없으면 교회의 무료 급식소에서 밥을 먹었다. 한 끼 먹는 것조차 어려운 절대 빈곤에 처한 400~500명에게 매일 식사를 대접하는 것이다.

민들레 국수집은 골목의 연대를 여실히 보여 준다. 밥 한 끼를 나누는 것은 삶을 나누는 것이다.

동네의 유일한 쉼터,
화도진 공원

옛 판자촌을 허물고 지은 빌라들이 다닥다닥 붙은 골목을 걷다 보면 '화도진 공원'이 나타난다. 조미 수호 통상 조약 체결 100주을 기념해 1982년 조성된 공원이다. 소설에서 숙자와 동준이는 곧 태어날 동생의 내복을 사기 위해 이 공원에서 사람들이 버리고 간 깡통을 줍는다. 도시 빈민은 소일거리가 많이 없다. 괭이부리말 아낙들의 소일거리는 여름엔 마늘을 까고, 겨울엔 굴을 까는 일이다. 노인들은 동네를 돌아다니며 깡통을 주워 판다. 화도진 공원 주변은 소설의 배경이던 시절과 다를 바 없는 모습을 간직하고 있다. 일조권을 고려하지 않고 난개발이 이루어진 동네는 대낮에도 골목이 그늘져 있다. 빌라촌 사이엔 놀이터도 없다. 그래서 화도진 공원은 동네 아이들의 놀이터이자 어른들의 쉼터가 되어 주민들의 숨통을 틔워 준다.

공원의 가장 높은 곳에 있는 화도진은 19세기 중엽, 외세의 개방 요구에 대응해 서해안의 방위를 강화하기 위해 축조한 진영이다. 이곳이 서울로 통하는 수로 관문이었기 때문이다. 당시 70~80여 명의 병사가 주둔해 정무를 집행했는데, 전시관으로 개조된 행랑채에는 여러 군사 장비가 전시되어 있다.

진짜 선생님이 '있는' 학교와 마을 주민이 '없는' 마을 교회

화도진 공원 울타리를 왼쪽에 끼고 걷다 보면 '만석초등학교'의 담장 길을 만난다. 만석초등학교는 소설 속 명희가 근무하는 곳이자 숙자, 숙희, 동준이 다니는 학교이다. 명희는 괭이부리말 출신이면서 괭이부리말을 벗어나고 싶어 했던 인물이다. 인근 신도시로 이사해서 열심히 공부해 교사가 되었는데 운명처럼 첫 발령지가 괭이부리말이었다. 명희는 여전히 희망이 없어 보이는 이곳에 낙담하지만 영호의 부탁을 받으면서 변화가 시작된다.

본드에 취한 동수를 어루만져 주고, 아무것도 할 수 없을 것 같았던 명환이를 세상 밖으로 나가게 해 주고, 숙자와 숙희의 큰언니가 되어 주었다. 마치 영호가 그러했던 것처럼, 김중미 작가가 그러했던 것처럼. 명희가 소설 속에서 아이들을 돌보는 방식은 마치 김중미 작가가 '기찻길 옆 작은 학교'에서 아이들과 함께하는 모습 같다. 소설의 마지막에 명희는 아예 괭이부리말로 이사를 온다. 김중미 작가처럼 자발적 가난을 택해 그들과 같이 공동체를 이루고 저마다의 삶을 꾸려 가도록 하기 위해서다.

만석초등학교 정문에서 건널목을 건너면 '만석 감리교회'로 가는 오르막 사잇길이 나온다. 오른쪽에 공장 담장을 끼고 조금 걷다 보면 동준, 동수네 형제의 집 근처인 만석 감리교회의 뾰족한 두 첨탑이 드러난다. 만석동의 가장 높은 곳에 위치해서 위압감

여전히 괭이부리말에는 옛 모습 그대로의 낡은 집들이 많다. 영호와 아이들이 함께 걸어 나와도 이상하지 않을 것 같다.

을 주고 주민들 사이에 갈등을 일으키는 교회를 소설 속 영호는 탐탁지 않아 한다. 영호는 괭이부리말에 사는 아이들의 울타리 같은 존재다. 갈 곳 없는 아이들과 함께 밥을 먹고, 부모님들이 일터에서 돌아오는 시간까지 아이들을 지켜 주던 영호의 모습이 동네 곳곳에 있는 듯하다.

아이들을 살아가게 하는 힘, 골목길 공동체의 선한 연대

교회를 오른쪽에 끼고 빌라촌 사잇길을 걸으면 '괭이부리말'에 접어들게 된다. 괭이부리말 일대의 판잣집은 헐리고 그 자리에 임대 아파트가 지어졌다. '괭이부리마을 보금자리 아파트' 입구에서 이곳이 괭이부리말임을 알리는 표지판을 볼 수 있다. 김중미 작가의 또 다른 소설 『곁에 있다는 것』은 이 아파트에서 살아가는 사람들의 이야기다. 『괭이부리말 아이들』 20년 후의 이야기인 셈인데, 가난과 아이들을 살리는 건 연대와 공동체의 힘이라는 걸 다시 확인하게 된다.

만석동 일대는 일제 강점기에 조선소가 있던 일본인들의 마을이었는데, 일본인들이 떠나며 피란민과 빈민들, 이농민이 자리를 잡은 동네가 되었다. 집들은 틈 없이 위아래로 붙어 있고, 골목은 한 사람 들어가기도 좁지만 여전히 사람들이 살고 있고, 함께 일하는 굴막 공동 작업장도 곳곳에 있다. 실제 거주하는 공간이기 때문에 골목을 걸을 때는 최대한 소리를 낮추고 주민들의 삶에 불편을 끼치지 않도록 조심해야 한다.

구청에서 이곳의 빈집을 '옛 생활 체험관'으로 만들겠다고 했다가 주민들의 반대로 무산된 적이 있다. 이처럼 가난을 상품화하고, 현재 살고 있는 주민의 삶을 관광자원으로 삼아 돈을 벌려는 시도도 있었지만 여전히 마을을 지키는 것은 주민이다. 이들은 가난하지만 가난을 상품으로 팔지 않는다. 함께하는 노동으로 삶을 이어 가고 있다. 우리 역시 이 마을에서 가난을 읽기보다 혼자만 잘 살려는 우리의 이기심을 비춰 보고, 선한 연대로 이룬 공동체의 가치를 만나야겠다고 생각했다.

공동체의 상징, 기찻길 옆 작은 학교와 마을의 문화 공간, 우리 미술관

회색빛 슬레이트 지붕들로 둘러싸인 골목을 걷다 보면 알록달록한 벽화가 있는 이층집을 볼 수 있다. 이곳은 김중미 작가가 괭이부리말에 자리 잡은 지 10여 년 만에 새로 지은 '기찻길 옆 작은 학교'다. 고 이일훈 건축가가 무료로 설계를 해 주었는데 김중미 작가는 "아이들이 사는 집의 구조와 다르지 않으면 좋겠고, 새집이더라도 새집처럼 보이지 않으면 좋겠다."라는 요청을 했

고단한 삶과 가난의 아픔이 기찻길 옆 작은 학교에서 치유된다. 영호의 돌봄으로 이루어진 공동체의 모습을 이곳에서 본다.

다고 한다.

2024년 기준 37년이 되었고, 1990년 봄부터는 자원 교사 동아리 '풀무' 공동체 회원과 함께 꾸려 오고 있는데 상근직 교사 또한 처음부터 함께 시작했던 분들이라고 한다. 부모님이 일터에 나가고 혼자 남겨진 아이들이 방과 후와 방학을 이곳에서 보낸다. 아이들에게서 희망을 찾고 가난해도 자신이 사는 동네를 아끼며 함께 살아갈 수 있다는 삶의 가치를 만들고 있는 곳이다. 기찻길 옆 작은 학교 이야기는 심상범 감독의 「곁에 서다」라는 다큐멘터리로도 세상에 나왔다.

기찻길 옆 작은 학교 바로 앞에는 '우리 미술관'이 있다. 괭이부리말의 빈집을 이용해 운영하는 작은 미술관인데, 주로 신인 작가들에게 대여료 없이 전시 공간을 내어 주고 있다. 우리가 방문했을 때도 전시 중이어서 도슨트의 설명과 함께 미술 작품을 관람할 수 있었다. 동네 한가운데 미술관이 있다는 것으로 괭이부리말 아이들의 마음이 조금은 풍요로워지지 않을까.

초기 원괭이부리말의 모습과 만석 부두

우리 미술관 출입문 옆에 난 작은 길로 걸어가면 굽이굽이 골목이 이어진다. 만석 부두로 향하는 길이다. 괭이부리말은 화수

부둣가에서 시작되는 괭이부리말은 도로로 둘로 나뉘었고, 원괭이부리말은 일부만 남아 있다. 사진을 찍을 수 있는 거리가 조성되어 있다.

부두, 만석 부두, 북성 포구 등에 둘러싸여 있는데 북성 포구는 현재 사라졌고, 만석 부두 근처에 원괭이부리말의 흔적이 조금이나마 남아 있다. 만석 부두로 향하는 길 왼쪽의 공장 벽과 오른쪽의 판잣집 벽에 모두 벽화가 그려져 있다.

조세희의 소설 『난장이가 쏘아올린 작은 공』의 연작 중 「은강 노동 가족의 생계비」의 배경이 된 곳도 바로 이곳이다. 한국 근대 산업의 중심이었던 인천 동구 일대는 많은 노동자들의 피와 땀으로 일궈졌다. 그 흔적들을 이어 지금은 '노동자의 길'이 조성되어 있다. 이제 현재를 살아가는 우리가 그 길을 따라 걸으며 땀 흘리는 삶의 의미를 알아 가는 것이 아닐까. 원괭이부리말에서 조금만 안쪽으로 들어가면 만석 부두가 나온다. 낚시나 조업을 하는 배들이 들고나는 작은 부두 앞에 서서 멀리 영종도와 강화도, 청라, 서구까지 한눈에 볼 수 있다.

세숫대야 냉면의 화평동 냉면 거리와 다시 동인천역

괭이부리말 답사는 만석 부두 정류장에서 506번 마을버스를 타고 화평동 냉면 거리에 가서 마무리되었다. 인천 동구 일대는 방직, 기계, 제분의 근대 산업이 발달했던 곳이다. 대한 제분, 삼화 제분 등이 지척에 있었기 때문인지 동인천역 북광장 앞에는 냉면 거리가 200여 미터 정도 조성되어 있다. 배고픈 노동자들을 위해 세숫대야만큼 양을 많이 주는 냉면으로 유명해졌고 아직 그 넉넉한 인심을 맛볼 수 있다. 시간이 허락한다면 한 정거장 거리인 인천역에 가서 한국 근대 문화가 꽃피었던 개항장 일대도 둘러보기를 권한다.

한낮 더위 때문이었는지, 시간이 느리게 가는 마을 덕분인지 치열하고 강렬했던 답사였다. 김중미 작가의 소설 또한 이 치열함 위에서 쓰였을 거라 생각한다. 만석동 골목마다 쌓인 그 처절한 삶의 이야기를 읽고 걸으며 함께 산다는 것의 의미를 다시 새겨 본다.

학생들과 함께 떠나기 좋은 답사 코스

개발은 '소외'를 낳는다. 하지만 밀려난 것들은 한편으로 따스하다. 골목은 그런 상반된 느낌을 담고 있기에 골목길을 중심으로 답사 코스를 구성하였다.

난도: ★★
추천 계절: 봄, 가을
만남의 장소: 지하철 1호선 동인천역 북광장

01 출발지, 동인천역 북광장

송현시장이 북광장 건너편에 있다. 소설 속 아이들이 돈을 모아 태어날 아기를 위한 선물을 사던 곳이다.

도보 15분 ▸▸

02 배고픈 사람을 위한 민들레 국수집과 화도진 공원

골목길의 정취를 느껴 보며 언덕길을 걷고 공원에서는 잠시 쉬어 갈 겸, 화장실에도 다녀올 수 있다.

도보 15분 ▸▸

03 만석초등학교, 만석 감리교회와 괭이부리말

만석초등학교는 일반적인 학교여서 생략해도 된다. 만석 감리교회에 올라야 동인천 일대의 풍경을 볼 수 있다.

도보 10분 ▸▸

04 기찻길 옆 작은 학교, 우리 미술관

김중미 작가가 운영하는 공부방을 겸한 공동체이다. 우리 미술관은 무료이며 화장실을 이용할 수 있다.

도보 15분 ▸▸

05 원괭이부리말, 만석 부두

노동자의 길 포토 존이 있어 사진을 찍기에 좋다. 만석 부두 안까지 들어갈 수 있지만, 위험할 수 있으니 해양 파출소 앞에서 감상하는 것이 좋겠다.

대중교통 15분, 도보 35분 ▸▸

06 넉넉한 인심 화평동 냉면 거리

아이들과 한참을 걷고 배가 고플 때 추천한다. 자유 공원 둘레에는 분식집도 많다. 버스 이동을 추천한다.

대중교통 10분 ▸▸

02

03

06

한 학기 한 권 읽기 추천 도서&추천 콘텐츠

■■『꽃은 많을수록 좋다』(김중미, 창비)

'괭이부리말 아이들' 곁을 지킨 30년의 기록을 담은 에세이. 자발적 가난과 공동체의 삶을 선택한 작가가 겪었던 이야기가 가감없이 펼쳐진다. 김중미 작가의 모습이 어떤 글보다도 진솔하게 잘 드러난다.

■■『곁에 있다는 것』(김중미, 창비)

'괭이부리말 아이들' 출간 후, 20년이 지난 지금도 어려운 사람들이 여전히 존재한다는 사실은 아프다. 가난을 혐오하는 것도 비인간적인데, 가난 체험관을 만들려는 지자체 기획에 괭이부리말 아이들이 문제 해결에 나선다.

■■『난장이가 쏘아올린 작은 공』(조세희, 이성과힘)

이 책의 일부 배경이 인천 만석동(괭이부리말) 일대라는 것은 조세희 작가가 김중미 작가를 만나 밝힌 사실이다. 1970년대 노동 현장이 그대로 드러나 있어, 5공화국 시절에는 금서였다. 1978년 출판한 이후 2017년 300쇄를 넘은 스테디셀러, 아직도 이 책이 읽히는 이유는 무엇일까?

■■ 다큐멘터리 영화「곁에 서다」

방과 후에 돌봄과 교육의 공백으로 돌아갈 아이들을 위해 만든 '기찻길 옆 작은 학교' 공부방 이야기다. 공부방이 만들어진 지 30년이 된 해에 촬영한 영상으로, 책을 못 읽은 학생들에게 권할 수 있겠다.

인용 출처

매화 향기를 남기고 떠난 시인

이육사, 『이육사 시집』, 범우사, 2019.

문학에 담긴 치열한 삶과 역사

김구, 『백범일지』, 돌베개, 2005.

1920년대의 경성, 2024년의 서울

현진건, 『운수 좋은 날』, 새움, 2020.

성찰하는 시인의 길

윤동주 지음, 윤동주100년포럼 엮음, 『윤동주 전 시집』, 스타북스, 2019.

남한산성에서 일어난 일

작자 미상, 이상구 옮김, 『박씨전 금방울전』, 문학동네, 2018.

유배지에서 보낸 편지

정약용 지음, 박혜숙 옮김, 『다산의 마음』, 돌베개, 2008.

윤동주 지음, 윤동주100년포럼 엮음, 『윤동주 전 시집』, 스타북스, 2019.

사진 출처

63면 Lawinc82(commons.wikimedia.org)

245면 pieonane(pixabay.com)

277면 Jaehee Jang1(commons.wikimedia.org)

290면 dldusdn(pixabay.com)

선생님과 함께하는
하루 문학 여행

서울·경기·인천
체험 학습 코스 20

초판 1쇄 발행 2024년 5월 13일

지은이 • 국어 선생님 97명
펴낸이 • 김종곤
편집 • 유철웅 소인정 박민영
조판 • 이주니
펴낸곳 • (주)창비교육
등록 • 2014년 6월 20일 제2014-000183호
주소 • 04004 서울특별시 마포구 월드컵로12길 7
전화 • 1833-7247
팩스 • 영업 070-4838-4938 | 편집 02-6949-0953
홈페이지 • www.changbiedu.com
전자우편 • contents@changbi.com

ISBN 979-11-6570-251-9 03810